Roberto M. Cossa

NUESTRO FIN DE SEMANA

Edited by Donald A. Yates

THE MACMILLAN COMPANY, NEW YORK
COLLIER–MACMILLAN LIMITED, LONDON

First Printing

Library of Congress catalog card number: 66–10590
THE MACMILLAN COMPANY, NEW YORK
COLLIER-MACMILLAN CANADA, LTD., TORONTO, ONTARIO

Printed in the United States of America

Grateful acknowledgement is herewith made to Editorial Talía of Buenos
Aires, whose published version of this play, with but a few minor corrections
made by the author, provides the text for this classroom edition.

Prefatory Note

*T*his edition of NUESTRO FIN DE SEMANA introduces a brilliant new example of Spanish American drama. Since playwright Roberto M. Cossa is, in a sense, as "new" as his play (he was twenty-nine years old when this, his first full-length drama, opened in 1964), it is obvious that no long-range critical perspective can yet be presented to support his work's appearance in the Macmillan Modern Spanish American Literature Series. However, the uniformly warm reception given the play by Argentine drama critics and its remarkable popularity among Buenos Aires theatregoers, together with the fact that the editor witnessed three memorable performances of the work in Buenos Aires, have led to its inclusion in the Series. It is published now with the conviction that, whatever Cossa's future accomplishments may be, NUESTRO FIN DE SEMANA will inevitably figure as one of the most important contributions to the Argentine theatre of this decade.

Contents

NUESTRO FIN DE SEMANA

ACTO PRIMERO
El sábado

ACTO SEGUNDO
El domingo

Introduction

The Author

*R*oberto Mario Cossa was born Nov. 30, 1934, in Buenos Aires, Argentina. He attended the Colegio Nacional Secundario and in 1953 began premedical studies at the Facultad de Ciencias Médicas in the capital. However, he studied medicine for only one year, dropping out for lack of interest. Cossa completed his one-year military obligation in 1955 and returned to civilian life with no definite plans for employment.

When his family moved to suburban San Isidro, a short distance up the River Plate from Buenos Aires, he became interested in the activities of the local community theater. He joined this dramatic group—the Teatro Independiente de San Isidro—and soon found himself definitely attracted by the possibility of a career in the theater. At that point Cossa felt destined to become an actor. He did, in fact, gain some acting experience in 1957 when he was given the principal role in a one-act mystery drama and, later in the year, appeared in the play *En familia*, by the celebrated Uruguayan playwright Florencio Sánchez (1875–1910).

Before moving to San Isidro, Cossa had been a steady reader of fiction. He enjoyed novels and was especially impressed by the narrative power of a group of Italian writers: Alberto Moravia, Cesar Pavese, and Vasco Pratolini, all writers of basically realistic tendencies. In 1956, however, his interest by then aroused in the theater, he began reading extensively in the area of drama. Cossa recalls that the playwrights whose work most impressed him were the Americans Eugene O'Neill, Elmer Rice, William Saroyan, Arthur Miller, Tennessee Williams, and the Europeans Anton Chekhov, Bertoldt Brecht, and John Osborne.

In time, perhaps as the result of continual critical reading of these dramatists, the play as a medium of expression, rather than as a vehicle for displaying an actor's interpretative abilities, came to hold more appeal for him. Responding to this gradual shift of interest within the general area of the theater, Cossa began to write dramatic criticism, publishing articles in 1957 and 1958. His first article was a discussion of the activities and importance of what was coming to be known as the independent theater movement, which involved plays written, directed, and performed by noncommercially oriented, experimental groups. (He eventually made his appearance as a dramatist in one of these groups.)

Once Cossa started to write, he soon began sifting through his own ideas in search of a theme for an original play. He made notes and began working on a dramatic structure. By 1960 he had completed an outline of the play that was later called *Nuestro fin de semana*. In 1961 he composed *Una mano para Pepito,* a one-act play for puppets which was successfully presented by the Teatro I.F.T. in Buenos Aires. It was Cossa's first performed work.

Toward the end of 1961, Cossa finished the definitive version of *Nuestro fin de semana*. It was accepted for presentation by the Teatro de la Máscara in the capital, but shortly thereafter, for reasons that were fundamentally political, the theater was closed. For nearly a year the script made the round of various Buenos Aires theatrical circles. Then, in late 1962, it was signed up by the Teatro de los Jóvenes, an independent theater group dedicated chiefly to training actors. The play was tentatively scheduled for production in August of 1963, but production was postponed as the search continued for a suitable actor to play the principal role of Raúl. In late 1963, Armenian director Yirair Mossián agreed to direct the play, and shortly afterwards Juan Carlos Gené was signed for the part of Raúl.

Nuestro fin de semana opened at the Teatro Río Bamba, the theater used by the Teatro de los Jóvenes, on March 24, 1964. From its first presentation it was labeled an important theatrical event of the season. Spurred by favorable reviews in Buenos Aires newspapers and magazines, the play ran for 238 performances—a remarkable record of popularity for an independent theater production. It was subsequently presented in the interior city of Córdoba and later in Montevideo, Uruguay. The play has been seen on television in Buenos Aires and is to be filmed by an Argentine movie company.

Thus Cossa saw *Nuestro fin de semana* through more than three years of delays and near misses. His experience in this respect is by no means unique among playwrights, especially among those who are new and have not been produced. But in his case, the patience and dedication to his play were rewarded with success.

The Play

Nuestro fin de semana attempts to evoke a mood of common, everyday existence. The characters, as well as the events that engage them in the space of the two days that the play covers, are drawn true to scale. Everything is carefully presented and preserved by the author at life size. This is dramatic realism of a sort that has an immediate and evident affinity with the plays of the Russian writer Anton Chekhov, wherein there is characteristically little show of outward emotion and a minimum of physical movement or action on the stage, combined with an underlying mood of quiet desperation and social decay.

Playwright Cossa acknowledges the prominent influence of Chekhov in his formation as a dramatist, and also that of the American Arthur Miller, whose tragedy *Death of a Salesman* is brought to mind by the present play, especially in its final scenes. Argentine theater critics have praised the total realistic effect of *Nuestro fin de semana,* saying that it is a perfect picture of contemporary Argentine reality, both in the convincing, recognizable characters that it presents and in the author's fidelity to the colloquial speech of the typical *porteño,* or inhabitant of Buenos Aires. Probing more deeply, several critics have also made the observation that the quiet desperation of Cossa's characters manifests their awareness of the basic preoccupation of the Argentine people, that the play offers a revealing look at how certain members of the country's large and growing middle class are reacting in the presence of the economic, political, and social crises that Argentina has faced in the past thirty years and that she continues to face today.

Cossa's basic observation is that the Argentine of the social level he depicts reacts by dulling his perceptions in any of a number of possible ways. In the play Cossa suggests some of the drugs that are employed toward this end: indulgence in time-killing, superficial conversation; resignation and self-effacement; refuge in memories of the past; fanatic interest in sports; addiction to television; attending endless, incomprehensible "cultural events"; excessive eating and drinking; dedication to a false, hollow idealism.

These are some of the conscience-numbing remedies that Cossa's characters have discovered. In the course of the weekend party at Raúl's home, each individual clearly reveals his manner of evading a confrontation with the problems of his own existence and, in a broader sense, those of his country. One critic has suggested that the people of *Nuestro fin de semana* make use of these spiritual drugs in an attempt to give some sense to their lives. A careful reading of the play will more likely convince the reader that these people are trying to *avoid* discovering the sense in their lives.

There are eight main characters in the play. (Raúl's business associate, Fernando, the ninth member of the cast, makes but a single, brief appearance at the end of the play.) Each of these characters, though presented as an individual person, represents a commentary on a larger aspect of contemporary Argentine life. Cossa, in this fashion, holds up to examination the present-day behavior of his fellow countrymen. His criticism is explicit, but unvoiced.

Raúl, the host, is the spirit of enterprise who has come to conceal his personal failure by exaggerating the salesman's standard qualities of friendliness and conviviality. Beatriz, his wife, has been frustrated in the deepest desire of her life and has decided not to struggle any longer. Elvira, her unmarried sister, cannot accept the new reality of Argentina in the 1960's, so far removed in spirit from the happy years of her protected youth. Her plaintive, compulsively repeated *¿Te acordás, Beatriz?* is the recurrent motif of her isolation. Jorge, the neighbor, has failed to mature into a socially responsible man; he maintains himself at an adolescent stage of his development. Jorge's wife, Sara, by nature is of limited horizons. Her frustrations also are smothered by means of the most accessible time- and thought-killers. Daniel, in a way more ignorant than the wife he ridicules, finds in gluttony a suitable object for his ambitions. Alicia, his wife, is aware of her profound spiritual dissatisfaction, but cannot find a meaningful way to remedy the sense of unfulfillment that she feels. Carlos, whose spiritual closeness to Alicia is indicated briefly in the play, is driven to create for himself the impression of personal accomplishment and satisfaction. He claims to have found this in his carefree way of life; but, clearly, he has not. He is perhaps the most lost of them all.

Cossa attempts no solutions. He has set out to give, in the chatty, casual, familiar moments of Raúl's *fin de semana,* a picture that is outwardly insignificant but which, for the knowing observer, is a deeply meaningful portrait of one segment of Argentine life. In this, to judge from all reactions, he has succeeded admirably.

Nuestro fin de semana is, in the last analysis, a play wherein the interest lies in what the characters say and not in what they do. It is precisely in this sense that it is linked to the drama of Chekhov. The Argentine theater has not produced in recent years a playwright more worthy of comparison with the Russian master of dramatic realism than Roberto Cossa.

The Text

Nuestro fin de semana has merits that particularly recommend it as the basis for a reading text. The play's cast is comprised of eight principal characters whose individuality and personal manner of regarding life emerge clearly and dramatically in the words that they speak. Their basic differences and the consistency with which they confirm their own identities serve naturally to stimulate the reader to undertake character analysis and interpretation.

Precisely because these individuals are so well defined, the play invites reading out loud. Its characters invite one to attempt their re-creation. For these reasons, *Nuestro fin de semana* will likely prove to be a play that can be effectively produced by university dramatic groups.

The tragedy of Raúl Guzmán, moreover, represents a type of human failure that no one can fail to comprehend. In the United States, the drama's impact should be especially strong. Raúl seems in many ways like a North American—in his optimism, his goals, his belief in the ultimate rewards of hard work. Those students who are familiar with the story of Willy Loman, told in Arthur Miller's *Death of a Salesman,* cannot fail to identify Raúl's failure with the more specifically "American" tragedy. For such reasons, Cossa's work may acquire special immediacy for readers in the United States.

Finally, the play has the opposite appeal of being different. Its scene is obviously not North American, the people and customs it presents are distinctly of another culture. Underlying the speeches of the play there flows a deep steady current of "Argentinism." This is the language of Buenos Aires; here are depicted the customs of some of its inhabitants; here are documented the attitudes, the hopes and the pleasures of a group of people who represent millions of others who live, as they do, within the reaches of the largest city in the Latin world.

In what it says that is old and familiar and in what it says that is new and different, *Nuestro fin de semana* would seem ideally to fulfill all the requirements of an enlightening, thought-provoking, and entertaining reading text.

NUESTRO FIN DE SEMANA

pieza en dos actos

a mi padre,
a su sencilla tragedia.

"Nuestro fin de semana" fue estrenado en el Teatro Río Bamba el 28
de marzo de 1964, con el siguiente

REPARTO
(por orden de aparición)

ELVIRA	*Berta Roth*
BEATRIZ	*Beatriz Alemany*
CARLOS	*Federico José Luppi*
SARA	*Ethel Agostino*
RAUL	*Juan Carlos Gené*
DANIEL	*Miguel Narciso Bruse*
JORGE	*José Arriola*
ALICIA	*Elena Cánepa*
FERNANDO	*Alberto del Villar*

ESCENAS

*La acción se desarrolla en el presente en el patio de una casa de San
Isidro, en las afueras de Buenos Aires.*

ACTO PRIMERO
el sábado

Escena I. LAS CUATRO DE LA TARDE
Escena II. ANTES DE LA CENA, A LAS OCHO DE LA NOCHE
Escena III. DESPUÉS DE LA CENA, A LAS ONCE DE LA NOCHE
Escena IV. LA MADRUGADA, DESPUÉS DE LA UNA

ACTO SEGUNDO
el domingo

Escena V. LA MAÑANA, DESPUÉS DE LAS ONCE
Escena VI. LA SIESTA, A LAS CUATRO DE LA TARDE
Escena VII. EL CREPUSCULO, DESPUÉS DE LAS SEIS

Acto Primero
el sábado

ESCENA I
Las cuatro de la tarde

Toda la obra se desarrola en el mismo escenario; el patio interior de la casa de Raúl y Beatriz, situada en el sector alto de San Isidro, en la provincia de Buenos Aires. Una medianera y la glorieta, que cubre una parte, le dan un aspecto íntimo, acogedor. A la derecha,[1] dos escalones más arriba, la sala posterior de la casa, usada como comedor de diario[2] o sala de estar. A foro,[3] en el extremo del patio que limita con la sala, una salida a la calle a través de un pasillo que corre paralelo a la casa y que no se ve. En el centro del patio, una mesa pequeña y varias sillas. En la sala, de frente al público, una heladera eléctrica; junto a la pared de la derecha un aparador y más al centro una mesa. Detrás del aparador, una salida que da al comedor de la casa, a la cocina y a la calle; delante, otra que conduce a los dormitorios. Al levantarse el telón son las cuatro de la tarde de un sábado de fines de noviembre, prematuramente cálido. En escena se hallan Beatriz y Elvira, su hermana, quien cose unas prendas, mientras aquélla hojea una revista de modas femeninas. Durante un prolongado momento permanecen en silencio, aparentemente lejanas una de otra.

ELVIRA. (*Para sí[4] con un suspiro.*) Ya estamos a fin de noviembre. Pronto llegarán las fiestas y se acabará otro año. ¡Dios mío, que rápido ha pasado! (*A Beatriz.*) ¿No te resultó corto el año?

BEATRIZ. (*Distraídamente.*) Como todos los demás . . .

---

[1] *Stage directions are given for the actor. Here the stairs are to the actor's right.*
[2] **comedor de diario** informal (family) dining room.
[3] **A foro** Upstage.
[4] **Para sí** To herself.

ELVIRA.   Este año ha pasado como un soplo. (*Pausa.*) Creo que no podría recordar nada de lo que hice estos once meses. El primero de año lo pasamos en la casa de la familia de Raúl ... y la Navidad también. Fueron dos reuniones muy agradables ... ¡El papá de Raúl es tan divertido! (*Pausa, luego algo patética.*) Dentro de un mes volverá a ser Navidad ... ¡Oh, es horrible que se vaya así la vida!

BEATRIZ.   ¡Elvira! Estás hablando como si fueras una vieja.

ELVIRA.   Es que ya soy una vieja, Beatriz.

BEATRIZ.   ¡Tonterías! No me llevás* más de dos años[5] y yo me siento muy joven. (*Le muestra un modelo.*) ¿Te gusta para mí?

ELVIRA.   Sí, es lindo; un poco escotado quizá.

Beatriz prosigue hojeando la revista y se hace un prolongado silencio.

Beatriz ... estuve pensando ... voy a tener que conseguirme un trabajo. La pensión de papá ya no me alcanza para nada.[6]

BEATRIZ.   Me parece muy bien; además te vas a distraer un poco.

ELVIRA.   Sí, tendría que hacerlo, pero ... ¿de qué puedo trabajar? No tengo ningún oficio, no sé desenvolverme en una oficina ... y a mi edad ...

(*) *This is the verb form that corresponds to the* **voseo** *type of address so common in informal Argentine speech. The subject pronoun* **vos** *replaces the standard* **tú**, *and the present tense verb form is adapted from the present tense* **vosotros** *form by dropping the "i." For example, the* **teneís** *form of* **tener** *gives the* **voseo** *form* **tenés.** *Thus we have for the subject* **vos** *such forms as* **llevás, sabés, sos, decís,** *etc. In the imperative form, the subject remains* **vos** *and the* **vosotros** *command form has the final "d" dropped, thus producing from* **hablad,** *for example, the* **vos** *imperative* **hablá.** *(The original accent on the last syllable is retained and indicated in the written form with the accent.) In highly informal and colloquial speech, the final accent is sometimes given also in the case of the present subjunctive forms: for example,* **No creo que vos tengás razón.** *After a preposition,* **vos** *replaces* **ti.** *All other corresponding pronouns, however, are* **te,** *matching those of the* **tuteo.** *There are no further irregularities in other tenses:* **vos sabías, ¿fuiste vos?** **vos habías visto,** *etc.*

The **voseo** *offers no real problem to the reader accustomed to the* **tú** (**tuteo**) *forms. In fact, it may be easier to recognize certain verbs which have the subject* **vos,** *since, as with the* **nosotros** *forms, there are no present tense radical, or "stem" changes.*

[5] **No ... años**   You're only two years older than I am.
[6] **no ... nada**   isn't anywhere near enough.

BEATRIZ.   Todo el mundo trabaja; si te lo proponés, algo vas a encontrar.

ELVIRA.   ¡Oh, pero yo soy una inútil! No hice nada en mi vida, excepto coserme la ropa. Ni siquiera de sirvienta podría emplearme.

BEATRIZ.   Nunca tuviste necesidad de hacer nada; ¿por qué considerarte entonces una inútil? Si realmente estás decidida a trabajar podemos hablarle a Raúl; seguramente él podrá conseguirte algo. 5

ELVIRA.   No sé . . . no sé . . . tal vez tengas razón vos. (*Pausa prolongada. Luego con cierta vacilación.*) También pensé en alquilar una pieza por aquí; San Isidro me gusta, es un lugar tan tranquilo . . . (*Nueva pausa.*) ¿Sabés Beatriz?, en la pensión me siento muy sola. Si viviera por aquí cerca podría visitarte más seguido. Antes era distinto, estaba Clarita y nos pasábamos las horas charlando. Pero desde que ella se fue no tengo con quién conversar. 10

BEATRIZ.   ¿Y aquella chica de la pieza alta? 15

ELVIRA.   ¿Marta? Dejó de visitarme hace un tiempo. Es muy joven y seguramente se aburría a mi lado. Así que ahora me paso todo el día sola. (*Con reproche.*) Y teniendo dos hermanas que fueron mis mejores amigas durante tantos años . . .

BEATRIZ.   A casa podés venir[7] cuando quieras . . . 20

ELVIRA.   ¡Oh, ya sé que puedo venir cuando quiera! No me refería a eso, sino a todo lo demás.

BEATRIZ.   ¿A todo qué?

ELVIRA.   A esta situación a que hemos llegado. Vos por un lado, yo por otro . . . parecemos extrañas. Murió papá y fue como si todo se derrumbara. Celia se casó con ese medicucho y está pasando lo mejor de su vida enterrada en un pueblo de provincia. 25

BEATRIZ.   Tal vez es feliz allí . . .

ELVIRA.   ¡Por favor, Beatriz! Cómo puede ser feliz en un pueblo una muchacha como ella, tan alegre, tan sociable. Me acuerdo cómo le gustaban las fiestas y lo divertida que era. 30

[7] **A casa podés venir**   You can come here.

BEATRIZ. (*Con cierto cansancio.*) Ya hemos discutido eso varias veces, Elvira. Celia quiere mucho a su marido y es feliz junto a él.

ELVIRA. ¡No sé si lo quiere tanto! Cuando se casaron eran muy jóvenes los dos. Luis fue el primer hombre que conoció en su vida y con él se casó. Yo se lo advertí, pero no quiso hacerme caso. ¡En fin . . . ahí la tenés[8]!

BEATRIZ. Sin embargo, la última vez que estuvo en Buenos Aires me confesó que estaba muy contenta con la vida que hacía.

ELVIRA. ¿Qué otra cosa podía decirte? La pobre Celia no es ni la sombra de aquella muchacha que se fue de aquí. Ahora tiene la mirada triste, cansada . . . (*Se hace una pausa. Luego, con una sonrisa.*) Los tres mosqueteros, ¿te acordás? Siempre juntas las tres. (*Nueva pausa.*) ¡Oh, cuando pienso en los proyectos de papá! Hay algo que no me voy a olvidar nunca. El día que compró la casa de Belgrano[9] me llevó con él para que la conociera. "Aquí hay espacio para los siete—me dijo—. Yo, mis tres hijas y mis tres yernos." ¿Nunca te lo conté? Yo tenía veinte años entonces. Después recorrimos una a una todas las habitaciones. A cada una de nosotras le había designado su habitación matrimonial. Ese era el sueño de papá. Vernos a todas juntas. ¿Se parece en algo a esta realidad?

BEATRIZ. Han ocurrido muchas cosas desde entonces.

ELVIRA. ¡Claro que han ocurrido cosas! Y lo peor fue la muerte de papá. Estando él[10] viviríamos las tres juntas, como entonces.

Elvira vuelve a su costura y se hace una nueva pausa prolongada.

Siempre pienso que nuestra felicidad terminó el día de aquel cumpleaños tuyo, ¿te acordás? ¡Qué noche maravillosa! Bailamos hasta las seis de la mañana y después terminamos tomando mate[11] y comiendo bizcochos en la cocina. ¿Te acordás, Beatriz?

---

[8] **ahí la tenés** look at her now.
[9] **Belgrano** *A quiet, fashionable, tree-shaded residential quarter of Buenos Aires.*
[10] **Estando él** If he were alive.
[11] **mate** *A brisk, aromatic drink made from the leaves of the* **yerba mate**. *It is prepared with hot water, in the manner of tea, and is usually sipped in the old-fashioned, country (or gaucho) style from a gourd (called the* **mate**) *through a long metal tube (the* **bombilla**) *which has a small spherical sieve at its lower end. It is the traditional drink of the provincial Argentine, but it is commonly used in many homes in the capital today.*

Beatriz, con un gesto de cansancio, de quien ha escuchado la historia varias veces ya.

BEATRIZ.   Sí, me acuerdo.

ELVIRA.   ¿Te acordás que vos te quedaste dormida con el mate en la mano? Todos empezamos a gritarte y te despertaste de golpe. Fue muy gracioso . . . ¡Y papá! Estuvo levantado hasta las cuatro de la mañana, bromeando con todos. (*De pronto melancólica.*) ¡Pobre 5 papá! Pensar que ya esa noche tenía esa horrible enfermedad, y nadie lo sabía. Ni él mismo . . . Pocos días después le empezaron los dolores en la espalda y . . .

Se interrumpe angustiada por el recuerdo. Luego de[12] una pausa.

BEATRIZ.   Pienso que va a estar fresco para comer esta noche aquí . . .

ELVIRA.   Nunca nos vamos a perdonar haber vendido la casa de 10 Belgrano. Ochenta mil pesos esa mansión . . . ¡Lindo negocio hicimos!

BEATRIZ.   En aquellos días era ventajoso. ¿Quién podía imaginar lo que iba a suceder después[13]?

ELVIRA.   Debimos haberlo previsto. Era nuestra casa, lo único que 15 teníamos.

Por la entrada de la derecha, en la sala, aparece Carlos que se asoma al patio.

BEATRIZ.   ¿Precisa algo, Carlos?

CARLOS.   Ando buscando una caja de clavos que tiene Raúl.

BEATRIZ.   Está en la cocina, en uno de los estantes.

Carlos agradece e inicia el mutis.

¿Le falta mucho?[14]   20

CARLOS.   No, estoy terminando con el armario. Puede ir poniendo el agua para tomar unos mates. (*Sale.*)

ELVIRA.   ¿Quién es ése?

[12] **Luego de** After.
[13] *Beatriz is here referring to the consequences of the disastrous drop in the value of the Argentine peso. When the house in Belgrano was sold, it brought the equivalent of $20,000 in dollars. Today, the 80,000 pesos, at the current exchange rate, would be worth around $550.00 in dollars.*
[14] **¿Le falta mucho?** Do you have much more to do?

BEATRIZ.   Carlos, un amigo de Raúl. Está pasando unos días con nosotros.

ELVIRA.   ¿A qué se dedica?

BEATRIZ.   A nada en particular, pero sabe hacer de todo. Se pasa la vida en la casa de los amigos arreglándoles cosas. Allí donde alguien precisa algo, lo llama a Carlos, le da de comer, una cama, y él lo hace. Es un bohemio.

ELVIRA.   ¿También se quedará esta noche? (*Beatriz asiente.*) No sé dónde vas a meter tanta gente.

BEATRIZ.   De alguna manera nos arreglaremos.

ELVIRA.   Supongo que a vos no te hará mucha gracia[15] . . .

BEATRIZ.   ¡A Raúl le gustan tanto estas reuniones! . . . Hace una semana que no habla de otra cosa. El dispuso lo que íbamos a comer, compró las cosas, le pidió prestada una cama a Sara. ¡Uf! Hoy ya me llamó tres veces para preguntarme si hacía falta esto o aquello . . . que no me olvidara de la bebida . . . que no me olvidara de la cerveza . . . las aceitunas . . . ¡Me llamó especialmente para hacerme acordar[16] de las aceitunas! (*Ríe.*) Está contento como un chico. Y si lo dejara, no pasaríamos un fin de semana sin un amigo en casa.

ELVIRA.   ¿Y a vos no te molesta que sea así?

BEATRIZ.   Raúl fue siempre así, le gustan las reuniones y la gente. (*Pausa.*) No sé . . . a veces me gustaría que respetara un poco más nuestra intimidad . . . ¡Oh, pero no tengo ningún derecho a quejarme de mi marido! Raúl es muy bueno.

ELVIRA.   Tal vez con un chico cambiaría . . . (*Pausa.*) ¿No tuviste novedades?

BEATRIZ.   Pronto voy a empezar un nuevo tratamiento. Yo ya estoy resignada, aunque el médico dice que no debo perder las esperanzas.

ELVIRA.   Tal vez tenga razón, ha habido casos . . .

---

[15] **a . . . gracia**   it's not especially enjoyable for you.
[16] **para hacerme acordar**   to remind me.

BEATRIZ.   Son muchos años ya.

ELVIRA.   Para vos ha sido un golpe muy duro no poder . . .

BEATRIZ.   Todo puede llegar a superarse.[17]

ELVIRA.   Pero vos no sos feliz así.

BEATRIZ.   (*Con firmeza.*) Soy feliz, Elvira; no me falta nada. (*Pausa.* 5
Luego dejando la revista.) No he encontrado un solo modelo que
me guste realmente. La verdad es que las modas de esta temporada
no dicen nada.

Por la entrada de foro aparece Sara trayendo en la mano un bolsón.

SARA.   (*Llamando.*) Beatriz . . . (*Entra en el patio.*) Hola, Elvira,
¿cómo le va?[18]   10

ELVIRA.   Bien, ¿y usted?

SARA.   (*A Beatriz.*) Aquí están los platos que me pidió. Le puse
unos cubiertos también; supuse que los iba a precisar.

BEATRIZ.   (*Mientras saca algunas cosas del bolsón.*) No te hubieras
molestado,[19] Sara. (*Toma un cubierto.*) ¡Ah, qué hermosos cu- 15
biertos!

SARA.   Son los que me regalaron para mi casamiento. Todavía no los
usé nunca.

BEATRIZ.   Entonces llevalos. Es una lástima. Me arreglaré con los
míos.   20

SARA.   No tiene importancia,[20] Beatriz. Si espero estrenarlos en casa
me volveré vieja. Algún día habrá que usarlos. Téngalos. (*Pausa.*)

BEATRIZ.   Los esperamos esta noche . . .

SARA.   Yo vendré.

BEATRIZ.   ¿Y Jorge?   25

SARA.   No sé. Ya sabe como es él. Siempre metido en su club.

[17] **Todo . . . superarse**   A person can learn to overcome anything.
[18] **¿cómo le va?**   how are you?
[19] **No te hubieras molestado**   You shouldn't have bothered.
[20] **No tiene importancia**   Never mind.

BEATRIZ.   Decíle de mi parte que lo espero; que Raúl se va a enojar si no viene.

SARA.   Está bien, Beatriz, se lo diré. Yo tal vez venga temprano a ver un rato la televisión. Hasta luego. (*Inicia el mutis.*) ¡Ah, me olvidaba! Habló un señor Fernando para Raúl.   5

BEATRIZ.   Fernando, sí . . . es el socio.

SARA.   Dijo que no lo esperen esta noche; que la esposa está enferma pero que mañana vendrá a almorzar. Y que se iba a ocupar del préstamo.

BEATRIZ.   ¿Del préstamo?   10

SARA.   Así dijo. No quiso que la llamara a usted. (*Breve pausa.*) Bueno, hasta luego. (*Sale.*)

BEATRIZ.   Hasta luego.

ELVIRA.   (*Luego de una pausa.*) ¿Siempre viven aquí al lado? ¿No se iban a mudar?   15

BEATRIZ.   ¿Adónde van a ir? Sara es la que habla de mudarse, pero con los siete mil pesos que gana él en la Municipalidad, apenas les alcanza para comer. Decí que[21] los padres de Jorge no le cobran un centavo.

ELVIRA.   ¿Y ella no trabaja?   20

BEATRIZ.   No hace nada. Se pasa las tardes aquí viendo la televisión.

ELVIRA.   El parece un buen muchacho.

BEATRIZ.   No es que sea malo, pero es un abúlico. Trabaja nada más que medio día. Viene de la Municipalidad, come, duerme la siesta y después se va al club a jugar a las bochas.[22] Todos los días. Raúl   25

---

[21] **Decí que**   It's a good thing that.

[22] **bochas**   *A game played with large wooden balls* (*which one rolls or tosses*) *and a smaller one* (*which one tries to come close to*). *It is a simple, entertaining game which no one takes very seriously—similar, in a way, to horseshoes or shuffleboard. Hence the humor in Jorge's playing the game with such single-minded devotion. Jorge is apparently his team's* bochador (*the one who lobs the ball to knock the opponents' scoring balls away*). *His partner would be the* arrimador (*the one who rolls the balls to make points*).

le ofreció varias veces vender máquinas en la zona, pero nunca quiso. Como dice Sara, es un jubilado. Lo único que le gusta es jugar a las bochas. (*Por la entrada del foro aparece Raúl.*)

RAUL. ¡Hola, hola! (*Besa a Beatriz.*) ¿Qué tal, querida? (*Le tiende una mano a Elvira.*) ¿Cómo está usted, Elvira? 5

ELVIRA. Bien . . .

RAUL. ¡Uf, vengo muerto de calor! Parece mentira[23] que en esta época haga esta temperatura. (*A Beatriz.*) ¿Está todo listo?

BEATRIZ. (*Con un gesto.*) Todo.

RAUL. ¿No hace falta comprar más nada? 10

BEATRIZ. Ya te dije que no, hoy cuando me hablaste.

RAUL. Muy bien, muy bien . . . ¡Ah! ¿Le pediste el catre a Sara?

BEATRIZ. Carlos lo fue a buscar; nos prestaron unos platos y unos cubiertos también.

RAUL. ¡Macanudo![24] Supongo que vendrán esta noche, ¿les dijiste? 15

BEATRIZ. Sí, les avisé. Sara pensaba convencerlo a Jorge para que dejara de ir al club por una noche.

RAUL. Le hablé a Daniel. Estarán aquí alrededor de las ocho. ¿Está bien?

BEATRIZ. Está bien. 20

RAUL. ¿Vamos a comer aquí afuera?

BEATRIZ. Va a ser mucho problema traer la mesa. Adentro vamos a estar más cómodos.

Por la puerta posterior de la sala aparece Carlos que se acerca al grupo.

RAUL. (*Con un golpe afectuoso.*) ¡Hola, Carlitos!

CARLOS. ¿Qué decís? 25

---

[23] **Parece mentira** It's unusual.
[24] **¡Macanudo!** Swell, great, terrific, *etc. This is an expression that is singularly Argentinian, heard frequently in most parts of the country. It serves also as an adjective:* **gente macanuda** = a swell bunch.

BEATRIZ. ¿Conoce a mi hermana Elvira, Carlos? (*Se dan la mano.*)

CARLOS. No supuse que tuviera hermana, Beatriz; siempre pensé que usted sería un modelo original.

BEATRIZ. No diga eso. Muchas veces le hablé de mis hermanas.

ELVIRA. (*Con sequedad.*) Además se puede ser original lo 5 mismo²⁵ . . .

RAUL. (*Riendo.*) No le haga caso, Elvira. Este Carlos es siempre el mismo. (*A Carlos.*) ¿Cómo va el trabajo de carpintería?

CARLOS. Recién²⁶ terminé de arreglarte el armario. Por hoy no hago más nada; ya me gané el día. 10

BEATRIZ. Supongo que ese armario habrá quedado como si lo hubiera arreglado un profesional . . .

CARLOS. Madame, usted me ofende. Yo soy un profesional, aunque no tenga ocupación . . . Lo que pasa es que domino tantos oficios que no sé por cuál de ellos decidirme. 15

ELVIRA. Alguna le gustará²⁷ más.

CARLOS. Me gustan todos por igual, porque los tomo como pasatiempo. Si tuviera que dedicarme a alguno de ellos para poder vivir, seguramente terminaría por odiarlo.

ELVIRA. ¡Es curioso! 20

CARLOS. Lo mismo me pasa con las mujeres.

BEATRIZ. (*Con reproche.*) Carlos . . .

CARLOS. No tiene nada de malo, Beatriz. Soy un idealista . . .

RAUL. Vos no cambiás nunca, ¿eh, Carlos?

BEATRIZ. (*A Carlos.*) Va a tener que esperar un rato para los mates. 25

CARLOS. Deje, Beatriz, los preparo yo. (*Sale hacia el interior.*)

---

²⁵ **lo mismo** all the same.
²⁶ **Recién** *Another expression used widely in the Argentine, which can mean* just now, recently, a little while ago, a little time before, *etc.*
²⁷ **Alguno le gustará** You must like one of them. *Notice the use of the future tense to suggest probability or conjecture.*

RAUL. (*A Elvira.*) Usted se va a quedar esta noche, ¿no es cierto?

ELVIRA. Beatriz me pidió que la ayude.

RAUL. ¡Magnífico! Nos vamos a divertir en grande, va a ver. Todos son amigos, gente macanuda. Se va a sentir cómoda.

ELVIRA. Está bien. No se preocupe por mí. (*Inicia el mutis.*) ⁵ Beatriz, ¿te puedo ayudar en algo? (*Sale.*)

Raúl se dirige a la sala donde está Beatriz acomodando algunas cosas. Raúl tomando a su esposa por detrás.

RAUL. ¿Qué dice mi mujercita? Con mucho trabajo. (*La besa.*) Soy un explotador, ¿no es cierto? Todo para quedar bien[28] con mis amigos.

BEATRIZ. Me parece muy bien que lo reconozcas. ¹⁰

RAUL. ¡Oh, no creo que lo digas en serio! (*Vuelve a besarla.*) ¿Se va a poner linda esta noche?

BEATRIZ. (*Bromeando.*) Sí, muy linda. Pero ahora dejame que tengo que hacer.

RAUL. ¡Cómo dejame! Estamos hablando de tu belleza. Esta noche ¹⁵ tendrás que ser la más hermosa de la reunión.

BEATRIZ. ¡Uyyy! Será difícil competir con Alicia.

RAUL. ¡Bah, esa insulsa! Tiene lindos vestidos y mucho maquillaje, pero mi mujercita es más linda.

BEATRIZ. ¿Qué te pasa que estás tan zalamero? ²⁰

RAUL. ¡Ah, es que hoy me siento maravillosamente bien! Todos los días tendrían que ser sábado. (*Tararea alegremente.*) Qué te apuesto a que Daniel nos va a contar su última borrachera.

BEATRIZ. No habla de otra cosa . . .

RAUL. ¡Ah, este Daniel es extraordinario! Ese sí que[29] sabe vivir. ²⁵

BEATRIZ. No sé a qué le llamás saber vivir.

---

[28] **para quedar bien**   so that I'll look good.
[29] **sí que**   really does.

RAUL.   Tiene plata y se da sus gustos.[30]

BEATRIZ.   ¡Se da sus gustos! ¿Qué clase de gustos son esos? Andar de juerga todas las noches. ¡Por favor, Raúl!

RAUL.   (*Abrazándola y besándola.*) ¡Oh, Betty, no discutamos por una pavada! Hoy tenemos que estar contentos todos; es un día muy especial. (*Canta imitando la voz de un barítono.*) "Todos contentos y felices . . . " Betty, ¿te acordás del dolorcito que tenía esta mañana en el hombro? Se me pasó completamente. Debo haber dormido en mala posición.

Se hace una pausa prolongada, durante la cual Raúl silba despreocupadamente.

BEATRIZ.   ¡Ah, Raúl! Habló Fernando para avisar que esta noche no podrá venir.

RAUL.   (*Con extrañeza.*) ¿Que no va a venir? ¿Cuándo habló?

BEATRIZ.   No sé, habló con Sara.[31] Parece que la esposa no anda bien. Pero le aseguró que mañana vendría a almorzar.

RAUL.   (*Con desconsuelo.*) ¡Pero! . . . Tenía tantas ganas de que viniera! ¿No sabés si va a volver a hablar?

BEATRIZ.   No dijo más que eso. Y que se iba a ocupar del préstamo.

RAUL.   Bueno, está bien. (*Pausa.*) ¡Qué macana que no pueda venir! Yo contaba con él. Además quería que Daniel lo conociera.

BEATRIZ.   Lo conocerá mañana; es lo mismo.

RAUL.   No, no es lo mismo. Tenía que venir esta noche. (*Pequeña pausa.*) ¡Justo él me viene a fallar![32]

BEATRIZ.   (*Luego de una pausa.*) ¿Qué es ese préstamo que mencionó Fernando?

RAUL.   Nada, Beatriz; levantamos[33] un pedido bastante grande y precisamos unos pesos para comprar las máquinas. Fernando se iba

---

[30] **se da sus gustos**   he indulges his little pleasures.
[31] *Since Raúl has no telephone, calls for him are taken by Sara who lives nearby.*
[32] **¡Justo . . . fallar!**   Of all times to let me down!
[33] **levantamos**   we picked up.

a ocupar de eso este fin de semana. Tiene un amigo que le prometió el dinero. Es seguro.

BEATRIZ.   ¿Tenían necesidad de pedir plata prestada?

RAUL.   ¡Oh, son unos pocos pesos!

BEATRIZ.   ¿No será demasiado arriesgado, Raúl? . . .   5

RAUL.   (*Molesto.*) ¡Pero no, Betty! Se trata de una venta directa, así que no hay ningún problema. El martes entregamos las máquinas, nos pagan y al día siguiente devolvemos el dinero. Es muy simple. Pero no hablemos más de trabajo, ¿eh, Betty? Por lo menos hasta el lunes.   10

Raúl sale hacia el interior de la casa. Beatriz queda con la mirada fija. Las luces decrecen lentamente.

ESCENA II

Antes de la cena, a las ocho de la noche

Las ocho de la noche del mismo día. En la sala Raúl prepara los ingredientes del vermut,[1] mientras Beatriz saca algunos platos y vasos del aparador. Raúl tarareando alegremente.

RAUL.   Daniel y yo podemos dormir en nuestra cama y Carlos en el catre. Ustedes pueden arreglarse en la otra pieza, que van a estar más cómodas. ¿Qué te parece?

BEATRIZ.   Está bien, Raúl. Así lo habíamos decidido desde la semana pasada.   15

RAUL.   Sí, me parece que va a ser la mejor manera. (*Breve pausa.*) Bueno, esto ya está listo. ¿Hace falta algo más?

BEATRIZ.   Por ahora no. Dame que lo llevo adentro. (*Raúl la abraza.*)

RAUL.   No podrás decir que no te ayudé.

BEATRIZ.   (*Bromeando.*) ¡Oh, sí! ¡Una barbaridad![2]   20

RAUL.   (*Riendo.*) ¡Betty, sos extraordinaria!

[1] **ingredientes del vermut**   hors d'oeuvres for the predinner drinking hour.
[2] **¡Una barbaridad!**   One heck of a lot!

Ella sale hacia el interior y Raúl guarda algunas cosas en la heladera, hasta la entrada de Daniel, que aparece por la puerta de foro. Daniel, golpeando las manos.

DANIEL.   ¡Eh! ¿Dónde está la gente? ¡Qué manera es esta de recibirme!

RAUL.   (*Saliendo al patio.*) ¡Daniel! ¿Cómo estás, viejo? (*Lo abraza.*) Sos el primero en llegar.

DANIEL.   Y no te preocupés, que seré el último en irme.

RAUL.   Como siempre, ¿eh, Daniel? ¿Y Alicia?

DANIEL.   Viene más tarde. ¡Pero che!³ ¿Así me recibís? ¿Qué hay para tomar?

RAUL.   (*Con un gesto afectuoso.*) ¿Qué te parece un vermut para empezar?

DANIEL.   Está bien, no es un mal comienzo.

Raúl se dirige hacia la entrada posterior de la sala.

RAUL.   ¡Beatriz! Llegó Daniel. Servinos un vermut, ¿querés? (*Se vuelve al patio.*)

DANIEL.   Es una noche magnífica, realmente magnífica. Y este lugarcito está muy lindo, eh?

RAUL.   En verano es ideal, pero todavía tengo que hacerle algunos arreglos.

DANIEL.   (*Con una inspiración profunda.*) ¡Ah, esto es lo que les envidio a las casas ubicadas afuera! Tienen espacio, aire. El centro es muy cómodo, pero terminás por ahogarte.

RAUL.   Sin embargo, el sueño de toda mi vida fue vivir en el centro.

DANIEL.   Para ustedes que son solos está bien, pero para nosotros . . . mis pibes toman aire por cuentagotas. (*Breve pausa.*) Tal vez me decida algún día y me largue para estos lados.

³ **che**   *An all-purpose expression especially common in Buenos Aires. It means many things:* hey, say, well, you there, come on, *etc.*

RAUL. ¿Sabés que el dueño ofreció venderme la casa? Pide trescientos cincuenta mil pesos.[4]

DANIEL. (*Con decisión de experto.*) Comprála, no lo pienses un minuto más. En esta zona vale el doble y además la propiedad se valoriza constantemente.   5

RAUL. Yo pensé lo mismo, Daniel, pero ahora no puedo hacerlo. Lo poco que tenía lo metí en el negocio.

DANIEL. Me dijiste que estabas por meterte en algo . . . ¿camina eso?

RAUL. Todavía no puedo decirte nada; recién nos iniciamos. Fernando y yo conocemos el ramo y sabemos qué puede dar. Claro 10 que la época es muy difícil.

DANIEL. ¡Uf, con eso[5] de la época difícil! Hace años que se habla de épocas difíciles, Raúl. Son rachas. Además no hay época difícil para la venta de máquinas de escribir. Eso da siempre.

RAUL. Es cierto, pero nosotros nos iniciamos casi sin capital. Con 15 unos pocos ahorros que teníamos.

DANIEL. Eso les exigirá mayor sacrificio por un tiempo, pero de todas maneras puede ser un buen negocio.

RAUL. Yo creo que sí. En este oficio es muy común que los vendedores se independicen y a la mayoría le ha ido bien. Todo está en 20 saber largarse.[6]

DANIEL. Pero no dejaste la compañía . . .

RAUL. No, todavía no. Por el momento al negocio le dedicamos unas pocas horas, pero calculamos que dentro de un año podremos dejarla.   25

DANIEL. ¿Y qué es un año? Pasa volando. Este país es así. Raúl, da para todo. Te lo digo yo. Es un país hecho para tipos como nosotros, que no nos quedamos donde estamos. Buenos Aires es una ciudad

---

[4] *To appreciate the extent of the fall in the value of the Argentine peso, compare this price of $350,000 pesos for Raúl's modest home in San Isidro with the sale price of $80,000 pesos for the girls' "mansion" in fashionable Belgrano twelve years earlier.*

[5] **con eso**   don't give me that.

[6] **saber largarse**   to know how to get out and get moving.

llena de posibilidades para gente emprendedora. Ese puesto de vendedor no es para vos, dejáselo a quienes no aspiran a otra cosa. Vos tenés pasta para cosas más importantes. (*Con un gesto amistoso.*) Yo tengo confianza en que te va ir bien.

RAUL.   Ojalá. Todas mis esperanzas están puestas en este negocio. Es la primera vez que decido independizarme y la verdad es que tengo un poco de miedo. Por suerte di con un tipo como Fernando, que es emprendedor y audaz. El fue el de[7] la idea del negocio y me convenció para que lo acompañara.

DANIEL.   Está bien, muy bien . . . (*Bromeando.*) ¡Así que te vas a hacer millonario! Bueno, confío que me reservarás el puesto de gerente en la futura empresa.

RAUL.   (*Riendo.*) ¡Aceptado! Con cuarenta mil pesos de sueldo.

DANIEL.   (*Igual juego.*) ¿Cuarenta mil nada más? Tendré que pensarlo. (*Ríen alegremente.*)

RAUL.   La verdad es que sería extraordinario que estuviéramos juntos.

Por la derecha aparecen Beatriz y Carlos trayendo una botella y varios vasos. Daniel, aplaudiendo.

DANIEL.   ¡Muy bien por la dueña de casa! Era hora que nos atendieran un poco.

BEATRIZ.   Vamos, que para atenderlo a usted habría que pasarse el día trayendo botellas.

Deja la botella y los vasos sobre la mesa y tiende la mano a Daniel.

¿Cómo le va? ¿Y Alicia?

DANIEL.   Vendrá más tarde. ¿Qué tal,[8] Carlos?

CARLOS.   Bien . . .

BEATRIZ.   Bueno, aquí tienen mientras se prepara la cena.

RAUL.   ¡Macanudo! Unos buenos vermucitos, ¿eh, Daniel? (*A Beatriz.*) ¿Y los demás?

BEATRIZ.   Elvira y Sara están adentro. Jorge debe estar por llegar.

---

[7] **El fue el de**   He was the one with.
[8] **¿Qué tal?**   How are things?

DANIEL.   (*Levantando la copa.*) ¡Por la dueña de casa!

Todos levantan la copa y beben alegremente.

¿Y tus cosas cómo andan, Carlos?

CARLOS.   Como siempre. Estos días de vacaciones en lo de Raúl.[9]

DANIEL.   El otro día me acordé de vos. Un amigo mío precisaba un buen electricista en su empresa, pero no tenía cómo[10] ubicarte.   5

CARLOS.   Menos mal, no esperarás que te lo agradezca.[11]

DANIEL.   (*Molesto.*) Oíme, pero pagaban muy bien.

CARLOS.   Peor;[12] donde pagan bien hay que trabajar mucho. El día que decida emplearme me voy a buscar un trabajo que paguen poco, así tenés derecho a no hacer nada y sin ningún cargo de   10 conciencia.

DANIEL.   ¡Bueno! . . . Pero así no vas a ir a ningún lado.

RAUL.   No le hagas caso, Daniel. ¿Todavía no lo conocés a Carlos? A ver los vasos. (*Sirve. Por la entrada de foro aparece Jorge.*) ¡Hola, Jorge! ¡Adelante! (*Le da la mano.*) ¿Cómo le va? ¿Conoce   15 a mis amigos?

JORGE.   (*A Carlos.*) A usted lo he visto antes . . . (*Le da la mano. A Daniel.*) Mucho gusto.

RAUL.   (*A Daniel.*) Es mi vecino. Uno de los mejores jugadores de bochas del país.   20

JORGE.   No tanto . . . discreto nomás.[13]

RAUL.   (*A Daniel.*) Juega en primera división.

DANIEL.   ¡No me diga! Es un lindo juego.

RAUL.   Jugado bien es maravilloso. Tenés que verlo a Jorge.

lo de Raúl   Raúl's (house).
[0] **no tenía cómo**   I didn't have any way.
[1] **Menos . . . agradezca**   That's fine, don't think I'm grateful. (***Menos mal** is an expression used commonly in Argentina which may mean quite a number of things:* so much the better, so what? that's OK with me, *etc.*
[2] **Peor**   (That's even) worse.
[3] **discreto nomás**   so-so, that's all.

JORGE. Mañana jugamos contra los campeones de Olivos.[14] Si quieren pueden venir.

RAUL. Podríamos ir, ¿eh, Daniel?

DANIEL. Bueno, como no.

RAUL. Eso es, vamos a ir. (*Pausa. A Daniel.*) ¿Sabés que Jorge jugó una vez contra Di Paulo?

DANIEL. ¿Di Paulo?

JORGE. El campeón argentino . . . Habrá oído hablar de él. Hace un tiempo salió en la tapa de "El Gráfico".[15]

DANIEL. Ah, sí, sí . . . Di Paulo . . . ¿Y usted jugó contra él?

JORGE. Sí, en un amistoso.[16] Perdimos dieciocho a tres, pero fue una gran experiencia. Di Paulo me felicitó después del partido.

DANIEL. ¿Lo felicitó?

JORGE. Sí, de un golpe saqué una bocha contraria tapada[17] y logré los tres tantos de mi equipo. Me puso la mano en el hombro y me dijo: "Fue un buen golpe". ¡Y Di Paulo no le dice eso a cualquiera! Es un bochador maravilloso. Capaz de sacar dos bochas[18] de un solo golpe.

RAUL. ¿Notable, eh? Y uno lo ve de afuera y parece un juego simple . . .

JORGE. ¡Otra que simple![19] Yo hace seis años que lo juego y reconozco que aún me falta mucho.

RAUL. Por eso digo; parece simple. ¿Un poco más de vermut, Jorge?

JORGE. No, gracias. No acostumbro tomar cuando estoy en víspera de un partido. Y el de mañana es bravo.

Desde el interior llega Sara y se acerca al grupo. Sara a Jorge.

[14] **Olivos** *A suburban town, west of the limits of Buenos Aires.*
[15] **"El Gráfico"** *An Argentine sports magazine.*
[16] **un amistoso** a friendly game.
[17] **una bocha contraria tapada** an opponent's scoring ball.
[18] **Capaz . . . bochas** Capable of knocking away two opponent's balls.
[19] **¡Otra que simple!** What do you mean, simple?

SARA.   Ah, estabas acá. (*A Beatriz.*) Al final, ese programa era una pavada. ¡Tanta propaganda que le hacen!

RAUL.   Tome un vermut, Sara. (*Sirve un vaso.*) ¿Lo conoce a Daniel? La esposa de Jorge.

DANIEL.   Mucho gusto, señora.   5

RAUL.   ¿Y Elvira?

BEATRIZ.   Está atendiendo la cena.

RAUL.   (*Que aún tiene la botella en la mano.*) ¿Otro poco, Daniel?

DANIEL.   Y bueno . . . vamos a hacer un esfuerzo. (*Ríe y luego bebe un largo sorbo.*) ¡Ah . . . ! Un vaso de vermut en compañía de los 10 amigos y la perspectiva de una buena cena. ¿Qué más puede pedir un hombre? Estas son las pequeñas cosas que alegran la vida. (*Vuelve a beber, luego a Raúl.*) ¿Te dije que el otro día lo encontré a Alberto? Nos sentamos a las nueve de la noche en un restorán de Rodríguez Peña,[20] y nos levantamos a las tres de la madrugada. 15 Nos tomamos una botella de vino blanco, tres de tinto y casi media de ginebra. (*Con suficiencia.*) Fue una noche liviana.

SARA.   ¡Qué bárbaro! Y ginebra, que es tan fea.

BEATRIZ.   Hágase el gracioso usted con la bebida.[21]

RAUL.   Bah, Daniel está acostumbrado.   20

Por la derecha aparece Elvira y se acerca a los demás.

ELVIRA.   Buenas noches . . .

DANIEL.   (*Le tiende la mano.*) ¿Cómo está?

JORGE.   Buenas noches, señora. (*Le da la mano.*)

ELVIRA.   La cena va a estar lista.

BEATRIZ.   Falta Alicia. ¿A qué hora llegará Alicia, Daniel?   25

DANIEL.   ¡Qué sé yo! Calculaba estar aquí a las ocho.

RAUL.   Ya son casi las nueve. ¿Por qué no le hablás por teléfono?

[20] **Rodríguez Peña**   *A street near the center of downtown Buenos Aires.*
[21] **Hágase . . . bebida**   Drinking like that may be more harmful than you think.

DANIEL. No está en casa. Fue a escuchar una conferencia . . . o no sé qué. Es en una biblioteca cerca de casa. Son unos cuantos charlatanes que no tienen otra cosa que hacer. Y a mi mujer se le ha dado por ahí ahora.[22] ¡Conferencias! Después de diez años de casados . . . ¡y los días sábados!

BEATRIZ. No sé qué tiene de malo que vaya a escuchar conferencias.

DANIEL. ¡Por favor, que ya discutí ese asunto con mi mujer! No sé cuál es el beneficio de pasarse las horas escuchando a un idiota que habla de cosas que nadie entiende.

BEATRIZ. (*Divertida.*) Para ella es el mismo placer que para usted tomar una botella de vino.

DANIEL. Tomar vino es un placer . . .

ELVIRA. La cultura es un placer del espíritu y el espíritu es más importante que el estómago.

DANIEL. (*Confundido.*) Eso no lo sé. Yo tomo vino desde chico y en cambio jamás escuché una conferencia. Además, yo no estoy contra el espíritu, sino contra las conferencias.

BEATRIZ. Si todos pensáramos como usted, todavía andaríamos con plumas y borrachos.[23]

DANIEL. Vea, Beatriz, tal vez tenga usted razón; pero yo me entiendo mejor con los borrachos que con esos . . . intelectuales que se la pasan[24] hablando estupideces.

RAUL. (*Conciliador.*) Bueno, bueno, no estamos aquí para discutir ¿eh? sino para pasar un rato amable. Hoy es sábado . . .

CARLOS. Raúl tiene razón. Yo propongo un brindis por los intelectuales borrachos, así quedamos todos de acuerdo.

DANIEL. Borrachos, sí. (*Bebe.*) Lo que no entiendo es qué tiene que ir a hacer mi mujer ahí. ¡Conferencias! ¡Bah, charlatanes!

[22] **Y . . . ahora** That's my wife's latest folly.
[23] **todavía . . . borrachos** We'd still be going around like Indians, with all of us drunk.
[24] **que se la pasan** who spend all their time.

JORGE.   La verdad es que a mí no me molestaría que mi mujer fuera a las conferencias.

SARA.   (*Con fastidio.*) A mi no me metás, ¿querés?[25]

RAUL.   (*Sirviendo.*) ¿Otro poco, Daniel?

DANIEL.   Por supuesto, si recién empezamos.   5

RAUL.   ¿Te acordás, Daniel, de aquel día que fuimos al Tigre?[26]

DANIEL.   ¡Cómo no! Ese fue un día bravo. ¿Cuántas botellas de vino nos tomamos?

RAUL.   (*Con énfasis.*) ¡Once botellas entre tres personas! ¡Once botellas! No me olvido más.[27]   10

BEATRIZ.   ¿No eran nueve? Ustedes cada vez que lo cuentan aumentan la dosis.

RAUL.   (*Aspero.*) ¡Cómo nueve! ¡Once fueron! Me acuerdo que Antonia las contó cuando nos levantamos de la mesa. Once botellas. ¿No es así, Daniel?   15

BEATRIZ.   Está bien, Raúl. Habrán sido once.[28] No es para ponerse así.[29]

Se hace una pausa; Raúl, evidentemente molesto, llena los vasos de Daniel, Carlos y el suyo. Jorge, cuyo vaso está sin tocar, se niega, diciendo:

No, gracias, Raúl, no me sirva más.

RAUL.   (*Luego de beber un trago.*) ¡Qué día magnífico aquel! ¿eh, Daniel? (*A los demás.*) Nunca me reí tanto como esa vez. (*A* 20 *Daniel.*) ¿Te acordás cuando Pedrito se cayó al agua?

Ambos ríen ruidosamente ante el recuerdo. Daniel, entre risas.

DANIEL.   "Me ahogo, gritaba, me ahogo" . . . y resulta que después el agua le llegaba a la cintura.

[25] **A . . . ¿queres?**   Keep me out of this, will you?

[26] **Tigre**   *A suburban city, upriver from Buenos Aires.* **Tigre** *is also the name applied generally to the delta region west of Buenos Aires, crossed by countless streams and canals. There are many outdoor restaurants and recreation spots in this area, most of which, since there are no roads, are reached by public motor launches.*

[27] **No me olvido más**   I'll never forget it.

[28] **Habrán sido once**   See note 27, Scene I.

[29] **No . . . así**   There's no need to get so upset over it.

Vuelven a reír, ahora con cierto esfuerzo.

RAUL. ¿Y Antonia? (*Nuevas risas.*) Corría de aquí para allá[30] pidiendo auxilio: "Se me ahoga Pedrito, se me ahoga Pedrito". ¡Fue genial! ¡Cómo nos reímos!

Las risas de Raúl y Daniel se apagan y se hace una pequeña pausa.

Algún día tendríamos que volver a la casa de Pedrito, Daniel.

DANIEL. ¡Cómo no!

RAUL. (*Con entusiasmo.*) Eso es, vamos a volver. Pasaremos un día macanudo. Vos también vas a venir, Carlos.

Carlos asiente con un gesto impreciso. Raúl, para sí.

"Se me ahoga Pedrito" . . .

Ríe en silencio. Por la entrada de foro aparece Alicia. Viste con excesivo lujo pero con buen gusto. Alicia, desde la entrada.

ALICIA. ¿Se puede?

RAUL. ¡Adelante!

Alicia a Beatriz que sale a recibirla, tras un beso.

ALICIA. ¡Beatriz querida! (*A los demás.*) Caramba, disculpen, pero se me hizo un poco tarde.[31] No me hubieran esperado.[32] Terminó tardísimo. (*Besa a Elvira.*) ¡Cómo le va, Elvira! ¡Pero qué buena moza está![33] Para usted no pasan los años.

ELVIRA. Oh, no crea. Usted sí está cada día más joven.

ALICIA. ¡Exagera! (*Tiende la mano a Raúl.*) Encantada, Raúl . . .

Beatriz, tomando los guantes y la cartera de Alicia.

BEATRIZ. Bueno, tomá un vermut que ya vamos a cenar. (*Sale hacia el interior de la casa.*)

RAUL. Venga, Alicia, siéntese, aquí. Los conoce a todos, ¿no es cierto?

ALICIA. Sí, por supuesto . . . (*Detiene la mirada en Carlos.*)

CARLOS. (*Tendiéndole la mano.*) Soy Carlos, un viejo amigo de Raúl.

---

[30] **de aquí para allá** back and forth.
[31] **se . . . tarde** I didn't get away until late.
[32] **No me hubieran esperado** *See note 19, Scene I.*
[33] **qué buena moza está** how nice you look.

RAUL.   ¿No se conocían? Esta es Alicia, la esposa de Daniel.

CARLOS.   La señora de la conferencia . . . ¿Y qué tal estuvo?

ALICIA.   ¡Ah, magnífica! ¡Muy interesante!

ELVIRA.   ¿Sobre qué tema trataba?

ALICIA.   ¿El tema? Bueno . . . era sobre la moral y la juventud . . . 5
¡Muy interesante! El que habló es un profesor muy conocido.
¿Cómo se llama? Doble apellido . . . ¡Ay, Daniel, hoy te lo nombré!

DANIEL.   ¡Qué sé yo cómo se llama!

ALICIA.   ¡Suárez Aguirre! Doctor Suárez Aguirre. Es toda una per-
sonalidad, profesor de no sé cuántos lados,[34] y además ha publicado 10
muchísimos libros. (*Con un suspiro.*) Y tiene una voz y unas manos
encantadoras . . .

SARA.   ¿Es joven?

ALICIA.   Unos cuarenta y cinco años . . . ¡Un churro bárbaro el
profesor!   15

RAUL.   ¡Ajá! Ahora comprendo ese entusiasmo por las conferencias.
¿Oíste eso, Daniel?

ALICIA.   No, no tiene nada que ver.[35] ¡Otras veces me he aguantado
cada vejestorios![36] Además, debe ser muy aburrido estar casada con
un hombre que se la pasa estudiando . . . (*Pequeña pausa.*) Ah, y 20
cuando terminó de hablar el profesor se armó una discusión bárbara
con un muchacho que le decía que estaba equivocado. El profesor
se puso furíoso.

ELVIRA.   ¿Qué decía el muchacho?

ALICIA.   ¡Qué sé yo! Que el concepto de moral había cambiado . . . 25
No sé, la verdad es que no lo entendí muy bien.

DANIEL.   ¡Ahí está! No sé para qué vas si al final no entendés de
qué se habla. Es perder el tiempo.

[34] **profesor . . . lados**   professor at I don't know how many schools.
[35] **no . . . ver**   that doesn't have anything to do with it.
[36] **cada vejestorios**   some real old geezers.

ALICIA. ¡No seas sonso! Al que[37] no le entendí bien es al muchacho; pero lo que dijo el profesor lo comprendí todo. (*Transición.*) Lo más gracioso fue que después me encontré en el colectivo con el mismo muchacho. Vive por aquí cerca, así es que hicimos todo el viaje charlando. Inteligente el pibe . . . y bastante atrevido. (*Con un gesto.*) A toda costa quería sacarme una cita.

SARA. (*Con evidente excitación.*) ¿Ah, sí? ¿Qué le decía?

ALICIA. Nada . . . que quería explicarme algunas cosas. (*Ríe.*) Te imaginarás la gracia que me hizo la proposición.[38] (*Pequeña pausa.*) Rico chico . . . estudiante de abogacía, según dijo.

DANIEL. ¿Abogado? Esos todos tienen plata. Hubieras agarrado viaje.[39]

ALICIA. ¡Por favor! ¿Te imaginás a una vieja como yo con un pibe de veinte? Iba a parecer la mamá.[40] (*Ríe y luego a Daniel, con una caricia.*) ¿Viste? Todavía tengo arrastre[41] entre los muchachos jóvenes.

Daniel se encoge de hombros, al tiempo que se dirige a Beatriz, que llega desde el interior.

DANIEL. ¿Para cuándo la cena?

BEATRIZ. Ya está lista. Pueden pasar al comedor.

DANIEL. Me parece muy bien. Ya era hora. (*Tomando el vaso.*) El último traguito en homenaje a la cena de Beatriz.

BEATRIZ. Vayan pasando. Elvira les indicará dónde deben sentarse. Raúl, sacá el vino de la heladera.

Todos inician el mutis alegremente. Beatriz se detiene en la sala para sacar algunas cosas del aparador. Raúl abre la heladera, saca unas botellas de vino y sale con los demás. Alicia se retrasa para ayudar a Beatriz.

ALICIA. Cuánto trabajo vinimos a darte . . .

[37] **Al que** The one who.
[38] **Te . . . proposición** You can imagine how funny I thought the proposition was.
[39] **Hubieras agarrado viaje** You should have taken him up on it.
[40] **Iba . . . mamá** I would have looked like his mother.
[41] **Todavía tengo arrastre** I'm still an attraction.

BEATRIZ.   No tiene importancia . . . Además, estoy acostumbrada.

ALICIA.   Dejáme que te ayude. (*Pequeña pausa.*) ¿Así que ése es el famoso Carlos?

BEATRIZ.   ¿Pero vos no lo conocías?

ALICIA.   Oí hablar muchas veces de él. Daniel siempre lo nombra.   5

BEATRIZ.   Aquí ha estado muchas veces.

ALICIA.   Es la primera vez que lo veo. (*Casi en confidencia.*) Che, la verdad es que está muy bien. Es soltero, ¿no?

BEATRIZ.   Sí, y según él, sin perspectiva ninguna de matrimonio. Es un caso de lo más pintoresco.   10

ALICIA.   ¿Sí? ¿Por qué?

Salen llevando las cosas que sacaron del aparador. La escena queda vacía y mientras las luces decrecen muy lentamente, se escuchan voces y fuertes carcajadas. Adentro, la alegría es general.

ESCENA III

Después de la cena, a las once de la noche

Las once de la noche del mismo día. En escena están Alicia, Beatriz, Sara y Jorge. A ratos, de acuerdo con las exigencias de la acción, se escucha una música lejana. Jorge, luego de un silencio, bostezando.

JORGE.   Ahhh . . . así es . . . así es . . .

ALICIA.   (*Repentinamente, poniéndose de pie.*) También la ocurrencia de aquéllos de ver[1] la pelea por la televisión en vez de estar aquí con nosotras. No sé qué gusto le encuentran.[2]   15

JORGE.   A mí nunca me gustó el boxeo. Eso no es deporte.

La música se escucha ahora con mayor intensidad.

ALICIA.   ¿De dónde viene esa música?

JORGE.   De nuestro club, hoy hay baile.

---

[1] **la . . . ver** the idea of them, watching. (*Alicia, annoyed at being deserted, is following out loud her private train of thought.*)
[2] **No . . . encuentran** I can't understand what they see in it.

Alicia tararea la melodía y da dos o tres giros.

ALICIA. ¡Ah, qué hermoso es bailar! (*Se detiene.*) ¿A qué hora terminará la pelea?

Ahora está parada sobre los escalones, en el umbral de la puerta que da a la sala.

¡Oh, miren! Desde aquí se ven las luces del club. Está todo iluminado.

JORGE. Cuando hace calor bailan en la terraza. 5

ALICIA. (*Con entusiasmo.*) Hay una especie de pérgola y las luces parecen farolitos chinos . . . ¡Sí, son farolitos chinos! Se ven las parejas también, ¿te fijaste, Beatriz?

BEATRIZ. Bastante nos aturden[3] todo el verano.

ALICIA. (*A media voz.*) Como si fuera Carnaval . . . (*Pausa.*) 10 ¿Ustedes no van nunca?

BEATRIZ. Fuimos una sola vez, apenas nos mudamos aquí. Jorge es socio.

JORGE. Es un club muy familiar. Es el campeón de bochas de la zona norte. Tendría que conocerlo, señora. 15

SARA. ¡Cómo vas a llevar a Alicia a ese club!

JORGE. ¿Qué tiene? Van muchas mujeres.

SARA. ¡Ja, las mujeres que van!

JORGE. ¿Qué mujeres van, vamos a ver? La familia de los socios. Vos fuiste una vez, también. 20

SARA. Por eso lo digo. Y no pienso ir más.

ALICIA. Hace siglos que no bailo . . .

Alicia se queda un instante más, mirando hacia la terraza del club; luego, con evidente desconsuelo, vuelve a sentarse junto a los demás.

SARA. ¿Su esposo no la lleva?

ALICIA. No le gusta el baile; dice que es perder el tiempo. ¡Es más insulso mi marido! (*A Jorge.*) ¿Usted tampoco baila, Jorge? 25

---

[3] **Bastante nos aturden** They've been bothering us plenty (with the noise).

JORGE.   La verdad es que nunca pude aprender. Dicen que es fácil, pero no hubo caso que aprendiera.

SARA.   ¡Por suerte! Bailando debés quedar muy ridículo. (*Se hace un silencio.*)

ALICIA.   (*Con un suspiro.*) ¿Qué hora es?   5

JORGE.   Las once y cuarto.

ALICIA.   ¿Las once y cuarto ya? Prácticamente se fue el sábado.

Se hace una larga pausa. Todos permanecen en silencio y sólo se escucha la música del club, ahora de ritmo alegre. Alicia está reclinada sobre el respaldo de la silla, con los ojos cerrados y llevando con un rápido movimiento del pie contra el piso, el compás de la música. Alicia, de pronto, con decisión.

   ¿Qué podríamos hacer esta noche? ¿No se te ocurre nada, Beatriz?

BEATRIZ.   A mí no me incluyan en ningún programa. Pienso irme a 10 dormir temprano; estoy muy cansada.

ALICIA.   ¡Oh, hoy es sábado! (*Mirando a todos.*) ¿Qué les parece si salimos a dar una vuelta con el coche?

SARA.   (*Con entusiasmo.*) ¡Es una buena idea!

JORGE.   Será mejor que nosotros nos vayamos a dormir, Sara.   15

SARA.   ¡A dormir! ¿Estás loco? Yo salgo con ellos.

ALICIA.   ¡Vamos, Beatriz, decidite!

BEATRIZ.   Por mí no se preocupen; pueden salir lo mismo. Me hacen un favor si me dejan en casa. Además, no puedo dejarla sola a Elvira.   20

ALICIA.   ¡Ah, no! Tenemos que salir todos. Ustedes también, Jorge.

JORGE.   Lo siento, señora. Yo tengo que jugar mañana, a las diez; debo estar bien descansado.

SARA.   ¡Uf con esas bochas! Ni que[4] te pagaran por jugar.

[4] **Ni que** As if.

JORGE.   Sabés bien que nunca me acuesto tarde cuando tengo que jugar. Una vez lo hice, ¿te acordás? y casi perdimos el partido por mi causa. Erré cuatro golpes[5] . . .

ALICIA.   Lo bueno es que salgamos todo el grupo. (*A Beatriz*.) Una vueltita nada más . . .   5

BEATRIZ.   Hum . . . ¡Ya conozco yo esas vueltitas!

Desde el interior llegan Carlos, Daniel y Raúl.

DANIEL.   ¡Fue una pelea extraordinaria! Y el nocaut impresionante. Un derechazo bárbaro. El Negro tiene una pegada tremenda; donde golpea, mata.

RAUL.   El nocaut se vio patente.[6] (*Imitando el golpe.*) Lo calzó 10 justo,[7] ¿eh, Carlos? (*Carlos hace un gesto vago.*)

DANIEL.   Yo dije desde el principio que el chileno no aguantaría una derecha del Negro.

RAUL.   Es cierto, Daniel, lo dijiste.

DANIEL.   Y así fue; lo estuvo estudiando hasta que pudo meter la 15 derecha. El Negro tiene pasta para campeón mundial. Si va a los Estados Unidos hace capote[8]; acuérdense lo que les digo. Hay que tener en cuenta que el chileno es un buen boxeador.

RAUL.   Sí que es bueno.

DANIEL.   ¿Y, Beatriz? ¿Qué tenemos para festejar el triunfo del 20 Negro?

BEATRIZ.   (*En tono resignado.*) Raúl . . . hay cerveza en la heladera.

RAUL.   ¡Es cierto! ¡La cerveza!

Imitando la voz de un barítono, mientras se dirige a la sala.

"Vamos a tomar unas cervecitas bien fresquitas" . . .

Silba y tararea mientras saca las botellas de la heladera.

ALICIA.   ¿Otra vez van a tomar?   25

---

[5] **Erré cuatro golpes**   I missed four shots.
[6] **El . . . patente**   You could see the knockout clear as day.
[7] **Lo calzó justo**   Got him right on the button.
[8] **hace capote**   he'll make the big time.

DANIEL.   ¿Y qué otra cosa mejor podemos hacer?

ALICIA.   ¿Por qué no salimos a dar una vuelta con el coche? A pasear un rato o a . . . bailar.

DANIEL.   ¿A bailar? ¿A estas horas? ¿Vos estás loca?

ALICIA.   Bueno . . . también podemos tomar algo, ¡qué sé yo!⁹ 5 Beatriz y Sara están de acuerdo.

DANIEL.   ¡Pero qué ocurrencia, Alicia! Si¹⁰ aquí estamos muy bien . . . ¿para qué vamos a salir?

Raúl llega con las botellas de cerveza y varios vasos que coloca sobre la mesa.

¡Ah, están a punto!¹¹ No hay nada como la cerveza fresca.

Raúl comienza a servir los vasos. A Beatriz.

RAUL.   ¿Y Elvira?   10

BEATRIZ.   Se fue a dormir hace un rato. Estaba muy cansada.

Jorge a Raúl, que le extiende un vaso de cerveza.

JORGE.   A mí no, Raúl, que mañana tengo que jugar.

SARA.   ¡Cuándo no!¹² Ahora también la cerveza te hace mal.

JORGE.   Sabés bien que yo me cuido.

SARA.   No sé para qué te cuidás. Para ser campeón mundial de 15 bochas.

CARLOS.   La vida del deportista es muy sacrificada,¹³ señora.

JORGE.   Eso es lo que yo le digo, pero no quiere entenderlo. Ahora que estamos en primera división tengo una gran responsabilidad.

RAUL.   Jorge tiene razón, Sara. Puede llegar a ser un gran jugador 20 de bochas.

---

⁹ **¡qué sé yo!**   I don't care.
¹⁰ **Si**   *An intensifying word, which may be rendered as* Why . . . *or* But . . . *or left untranslated.*
¹¹ **están a punto**   they're just right.
¹² **¡Cuándo no!**   You're always saying that!
¹³ **sacrificada**   full of sacrifices.

DANIEL.   (*Llenando nuevamente el vaso de cerveza.*) Por eso el deporte no se hizo para mí, aunque debo tener bastante desarrollado el brazo derecho . . . de tanto levantar el vaso.

Lanza una carcajada festejando su propia salida. Se hace una pausa.

RAUL.   ¿Sabés de qué me acordaba, Daniel? "Se me ahoga Pedrito".

Ambos ríen ruidosamente. Daniel señalándose la cintura.

DANIEL.   Y el agua le llegaba aquí. (*Ríen exageradamente.*)

ALICIA.   (*Con violencia, a Daniel.*) ¡Terminá de una vez por todas[14] con esa estupidez! ¿O te creés que hacés alguna gracia? [15]

DANIEL.   ¡Epa! ¿Qué pasa ahora?

ALICIA.   Es que no sabés hablar otra cosa que no sean . . . tonterías.

DANIEL.   ¿Tonterías? Pero si el asunto es muy gracioso. Pedrito se cayó al río . . .

ALICIA.   (*Exasperada.*) ¡Basta, Daniel! No hacés gracia a nadie, ¿no lo entendés?

DANIEL.   (*Molesto ahora.*) ¡Caramba! Soy demasiado grosero, ¿verdad? (*Con sorna.*) Disculpáme, no conozco el humor de la gente que va a las conferencias.

ALICIA.   Ni digás estupideces, ¿querés?

RAUL.   (*Conciliador.*) Bueno . . . bueno . . . no discutan más. ¡Vamos, Daniel! Hoy debe ser un día de alegría para todos. (*Le alcanza el vaso para brindar.*) ¡Por Daniel y Alicia! ¡Vamos, todos tienen que brindar! (*Llena un vaso y se lo extiende a Alicia.*) Usted también, Alicia.

ALICIA.   No, Raúl, le agradezco.

DANIEL.   (*Acercándole el vaso.*) Hagamos las paces,[16] ¿querés?

ALICIA.   Dejáme, por favor.

DANIEL.   (*Irónico.*) Te prometo no hablar más de Pedrito en toda la noche. (*Lanza una carcajada.*)

[14] **de . . . todas**   once and for all.
[15] **te . . . gracia**   do you think you're being funny?
[16] **Hagamos las paces**   Let's kiss and make up.

ALICIA.   (*Violenta.*) ¡Terminá con tus bromas, te dije! ¡Es posible que no sepas hacer otra cosa que tomar y reírte como un idiota! (*Una pequeña pausa.*) Pero . . . pero . . .

Está a punto de echarse a llorar, pero antes que las lágrimas aparezcan sale precipitadamente hacia el interior de la casa.

DANIEL.   ¡Pero qué le pasa ahora! (*Mirando a los demás.*) ¡Se volvió loca de repente!   5

BEATRIZ.   Pasa que ella quería salir a dar una vuelta con el coche y usted se opuso. Estaba muy entusiasmada con la idea del paseo. Eso es todo.

DANIEL.   (*Con un gesto.*) ¡Bueno! . . . Ese no es motivo para ponerse así. Me hubiera dicho[17] . . .   10

BEATRIZ.   Usted sabrá; conoce a Alicia mejor que yo. (*Poniéndose de pie.*) Trataré de convencerla para que vuelva.

Beatriz sale y se hace una pausa embarazosa.

RAUL.   ¿Otro poco de cerveza, Daniel?

DANIEL.   No . . . ahora no.

RAUL.   Refrescó bastante, ¿te fijaste? (*Pausa.*)   15

JORGE.   Bueno . . . yo tengo que irme. Necesito estar descansado mañana . . . jugamos contra los vicecampeones de la zona. Es un partido bravo. ¿Venís, Sara?

SARA.   No. Me voy a quedar un rato más viendo la televisión.

RAUL.   Lo esperamos mañana a almorzar, Jorge.   20

JORGE.   Está bien, Raúl. Gracias por todo. Hasta mañana. Si quieren pueden venir mañana a ver el partido. Es a las diez.

RAUL.   Iremos, ¿no Daniel?

DANIEL.   Sí . . .

JORGE.   Hasta mañana. (*Sale.*)   25

SARA.   Permiso, Raúl. Voy a encender la televisión.

[17] **Me hubiera dicho**   *See note 19, Scene I.*

RAUL.   Está bien, Sara.

Sara sale hacia el interior. Se hace una pausa.

Podríamos salir a tomar algo . . .

DANIEL.   No es mala idea . . . ¿Vamos, Carlos?

CARLOS.   Vamos. (*Desde la sala llega Beatriz.*)

RAUL.   Vamos a salir un rato . . .

BEATRIZ.   ¿Adónde van?

RAUL.   A dar una vuelta. Volveremos en seguida. Hasta luego.

Salen. Beatriz recoge los vasos y botellas de la mesita y los lleva a la sala. Al llegar se enfrenta con Elvira, que aparece por la puerta anterior. Se ha colocado un tapado sobre los hombros y lleva el cabello despeinado. El rostro desencajado revela un estado de gran excitación.

BEATRIZ.   ¿Qué hacés levantada? ¿No te sentís bien?

ELVIRA.   No . . . no sé . . . no podía dormir . . . ¿Hay algo fresco para tomar?

BEATRIZ.   ¿Querés cerveza?

ELVIRA.   No, no . . . dame un poco de agua.

Se hace una pausa mientras Beatriz saca la botella de agua de la heladera y sirve el vaso. Elvira bebe un sorbo.

Estaba tan cansada y sin embargo no pude dormirme. Deben ser los nervios . . . ¡y además esa música! (*Bebe otro sorbo.*) ¿Estoy muy demacrada, Beatriz? (*Gesto de Beatriz.*) ¿Qué hora es?

BEATRIZ.   Las once y media, más o menos. (*La observa un momento.*) ¿Seguro que te sentís bien?

ELVIRA.   Sí, querida, sí, son los nervios, ¿sabés? Ultimamente me está pasando seguido. Empiezo a pensar en ciertas cosas y no puedo dormirme.

BEATRIZ.   ¿Querés que te prepare algo?

ELVIRA.   No, querida; no te molestes . . . no hace falta. (*Transición.*) Estaba en la cama . . . no podía dormirme y de pronto . . . empecé a pensar en aquella fiesta . . . y en papá . . . (*Llevándose las manos al rostro histéricamente.*) ¡Oh, qué terrible! (*Pausa.*) ¡Me siento tan sola, Beatriz! (*Se echa a llorar.*)

BEATRIZ.   (*Abrazándola.*) Vamos, Elvira, calmáte . . . vení un rato afuera y tomá un poco de aire.

ELVIRA.   No, no, dejáme aquí . . . Ya . . . ya estoy bien. En seguida ⁵ me iré a la pieza.

Bebe un sorbo de agua y luego queda un rato pensativa. Beatriz la observa en silencio.

Beatriz . . . (*Pausa.*)

BEATRIZ.   ¿Qué?

ELVIRA.   Beatriz, querida . . . estuve pensando que . . . no sé . . . Bueno, quisiera venirme a vivir un tiempo con ustedes . . . Eso¹⁸ si ¹⁰ no es molestia, querida.

BEATRIZ.   ¡Claro que no es molestia! ¿Acaso no sos mi hermana?

ELVIRA.   Pero Raúl, tal vez . . .

BEATRIZ.   Sabés cómo es Raúl; estará de acuerdo, estoy segura.

ELVIRA.   En la pensión me siento tan sola . . . Creo que necesito ¹⁵ descansar un tiempo . . . Además, a vos no te va a venir mal¹⁹ porque podré ayudarte en las cosas de la casa. ¿No es cierto?

BEATRIZ.   Podés venir cuando quieras . . .

ELVIRA.   ¡Gracias, Beatriz! (*La besa.*) Aquí me repondré en seguida, vas a ver. Lo que necesito es un poco de descanso, nada más. Yo ²⁰ acostumbro levantarme temprano, así que vos podés dormir hasta la hora que quieras. Si algún día tenés que salir yo me ocuparé de atenderlo a Raúl. (*Transición.*) No seré una carga para vos, Beatriz.

BEATRIZ.   No habrá necesidad de que hagas nada.   ²⁵

ELVIRA.   No, querida, yo te recompensaré la molestia; quiero que te sientas cómoda de tenerme aquí. (*Cariñosamente.*) Será como antes, ¿no es cierto?

¹⁸ **Eso**   That (is what I'd like to do).
¹⁹ **a . . . mal**   it won't be any trouble for you.

Beatriz asiente con un gesto. Elvira recobra sus modales habituales.

Bueno, ahora me voy a acostar. Por favor decíle a la gente que me disculpe, pero estoy muy cansada. Hasta mañana.

Marca el mutis pero antes de salir se vuelve.

Ah, querida . . . ¿Qué tal es la crema que tenés en el botiquín del baño?

BEATRIZ.   A mí me da resultado[20] . . .

ELVIRA.   Había visto la propaganda y supuse que era buena. Mañana me vas a prestar un poco; quiero probarla. Tengo el cutis a la miseria,[21] ¿te fijaste? (*Con una sonrisa.*) Oh, pero no te preocupes que cuando viva aquí, sólo usaré mis cosas. Hasta mañana, querida.

BEATRIZ.   Hasta mañana.

Elvira sale hacia el interior. Beatriz lanza un suspiro y guarda la botella de agua en la heladera. Las luces se apagan rápidamente.

E S C E N A   I V

La madrugada, después de la una

La una de la madrugada. Carlos, solo en la escena, bebe un vaso de coñac y fuma un cigarillo. La música del club prosigue, pero ahora en el silencio de la noche, llega con mayor intensidad. Luego de un instante, por la puerta anterior de la sala aparece Alicia, con señales de haberse levantado de la cama. Se dirige a la heladera, saca la botella del agua, bebe un poco y luego se asoma al patio.

ALICIA.   ¿Quién está? Ah, es usted . . . ¿Y Raúl y Daniel?

CARLOS.   Se quedaron en el café.

ALICIA.   Todavía . . . es más de la una. (*Sale al patio y se acerca a Carlos.*) ¿Qué hacían?

CARLOS.   Charlaban . . .

Alicia hace un gesto de comprensión y se hace una pausa.

---

[20] **A . . . resultado**   It works for me.
[21] **Tengo . . . miseria**   My skin is wretched.

ALICIA.   Se está bien aquí. (*Se sienta frente a Carlos.*) En la pieza hace mucho calor. (*Breve pausa.*) Es una noche hermosa, ¿no es cierto?

CARLOS.   Ajá. (*La mira.*) ¿No quiere un poco de coñac?

ALICIA.   No gracias, casi nunca tomo. (*Carlos vuelve a servirse y luego bebe un sorbo.*) ¿Y usted por qué se volvió? 5

CARLOS.   De pronto tuve ganas de estar solo . . . (*Alicia hace un gesto.*) No, por favor, quédese aquí si quiere. Me refería a la charla y al ruido del café. Además, creo que su esposo y Raúl tenían algunas cosas que decirse. 10

ALICIA.   (*Significativamente.*) No sé qué cosas pueden decirse, a no ser que hayan tomado más de la cuenta.[1] ¿Daniel estaba . . . ? (*Gesto de borracho.*)

CARLOS.   Cuando lo dejé no, pero si seguía ese tren[2] . . .

ALICIA.   Me lo imaginaba.[3] Las charlas de mi marido en un café no 15 pueden terminar de otra manera. (*Carlos enciende un cigarrillo. Alicia lo observa.*)

ALICIA.   (*Indecisa.*) Perdón . . . ¿No me convidaría con un cigarrillo?

CARLOS.   (*Extendiéndole el atado.*) Por supuesto . . . creí que no fumaba. 20

ALICIA.   A veces lo hago . . . a escondidas de Daniel. A él no le gusta que fume.

CARLOS.   Es raro. Parece tan liberal . . .

ALICIA.   ¿Quién, Daniel? Se ve que no lo conoce. Daniel es liberal consigo mismo y con los demás. En cuanto a mí . . . bueno, si 25 llegara a aparecerse ahora y me encontrara fumando y . . . con usted . . . ¡Uy, la escena que haría!

CARLOS.   (*Divertido.*) ¡Caramba! Esto parece toda una aventura . . . La esposa fumando con un desconocido; un marido celoso que puede aparecerse de pronto . . . ¡es interesante! 30

a . . . cuenta   unless they've drunk too much.
si seguía ese tren   if he kept it up.
Me lo imaginaba   I thought so.

ALICIA. (*Con seriedad.*) Por favor, espero que no se entere . . .

CARLOS. No se preocupe, seré un cómplice leal.

Carlos la mira significativamente y se hace un silencio. La música del club, una melodía lenta, se escucha ahora con mayor intensidad. Alicia tararea la melodía.

ALICIA. ¿Conoce esa música? ¿No le gusta?

CARLOS. Es triste.

ALICIA. A mí me gusta la música triste.

Durante un instante permanece en silencio, escuchando la música.

Disculpe . . . ahora quisiera probar un poco de coñac. (*Carlos sirve una copa.*) Basta, por favor, no voy a tomar tanto . . . (*Bebe un sorbo.*) Tal vez esto me alegre un poco, o me dé sueño y pueda dormirme en seguida. (*Ríe.*) ¡Ah, estoy desatada esta noche! Fumando y tomando coñac; debe ser el aire de San Isidro. (*Bebe otro sorbo.*) ¿Usted cree que esto me alegrará? Recuerdo que cuando era más joven tenía accesos de melancolía y me los curaba tomando. (*Lo mira.*) ¿No me cree? En esa época era una curda bárbara . . . ¡Oh, perdón!

Carlos ríe por el gesto asustado de Alicia; ella permanece un instante seria, luego se echa a reír también.

Una vez tomé demasiado y casi me muero; tuvieron que llevarme al médico y darme una inyección. (*Ríe.*) Desde ese día me aguanté la melancolía, pero no probé una gota de alcohol por mucho tiempo. (*Vuelve a reír, se hace una pausa.*) ¿Seguro que no quiere estar solo?

CARLOS. Seguro . . . ¿Por qué me lo pregunta?

ALICIA. No sé . . . está tan callado y yo no hago más que hablar y contarle cosas . . .

CARLOS. Es que yo también estoy un poco melancólico, pero probablemente precise una dosis mayor de coñac para ponerme más comunicativo. (*Toma la botella.*) ¿Quiere otro poco?

ALICIA. Muy poco, por favor . . . Tengo miedo que me haga mal.

CARLOS. ¿Como la vez del médico? (*Ambos ríen.*) No se preocupe yo cuidaré que no pase el límite.

ALICIA.   (*Intencionalmente.*) O hará esfuerzos para que lo pase . . .
(*Vuelve a reír. Beben en silencio.*) Usted es un tipo raro, es decir,
medio enigmático.

CARLOS.   ¿Raro yo? ¿Por qué?

ALICIA.   No sé, es algo que se desprende de su persona . . . parece ⁵
que siempre estuviera alejado de las cosas . . . (*Carlos hace un
gesto de extrañeza y sonríe.*) Además, no trabaja, se pasa la vida
viviendo con uno u otro amigo, y cuando consigue unos pesos
desaparece . . . (*Carlos la mira interrogativamente.*) Me lo contó
todo Beatriz . . . Bueno, ¡no me va a decir que eso es muy normal! ¹⁰

CARLOS.   Tal vez no sea muy normal, para usted, pero es una forma
de vivir como cualquier otra. Y no crea,⁴ tiene sus ventajas.

ALICIA.   ¿Qué ventajas?

CARLOS.   Es la única forma de ser libre, verdaderamente libre. ¿Me
comprende?   ¹⁵

ALICIA.   No. (*Pausa.*) Pero . . . ¿se siente feliz viviendo así?

CARLOS.   (*Se encoge de hombros.*) No, pero tampoco menos feliz que
usted, que vive . . . "normalmente".

ALICIA.   (*Rápidamente, con énfasis.*) ¡Por favor! Dejemos de lado
mi felicidad. Mejor explíqueme eso de . . . ser libre, como usted ²⁰
dijo.

CARLOS.   Bueno, no creo que resulte fácil explicárselo. Es algo que
uno siente . . . es cuestión de temperamento, ¿comprende?

ALICIA.   Cada vez menos.⁵

CARLOS.   (*Sonriendo.*) ¿Por qué le interesa tanto todo esto?   ²⁵

ALICIA.   Me interesa, simplemente.

*Carlos bebe un trago; se miran en silencio un instante. Alicia en actitud
expectante.*

CARLOS.   Bueno, pongamos por caso a usted . . .

---

⁴ **Y no crea**   And even though you don't think so.
⁵ **Cada vez menos**   Less and less.

ALICIA.   No, por favor; yo no sirvo como ejemplo. Hablemos de usted, mejor.

CARLOS.   Está bien, acepto, aunque de mí hay muy poco que hablar. Mi caso es uno de tantos . . . (*Bebe un trago.*) Mi familia quería que yo fuese un profesional . . . médico, dentro de lo posible. (*Irónico.*) Mi padre era electricista y su mayor aspiración fue siempre un hijo doctor. Así que terminé la escuela secundaria e ingresé en medicina . . . (*Bebe otro trago y enciende un cigarrillo.*) ¿Realmente le interesa que le cuente todo esto?

ALICIA.   Siga, por favor.

CARLOS.   (*Luego de una pausa.*) Nunca fui lo que se dice un estudiante aventajado; me gustaba mucho el café y las chicas. Pero así y todo[6] fui aprobando materias hasta que llegué a quinto año . . . y bueno, abandoné. (*Vuelve a beber.*)

ALICIA.   (*Con extrañeza.*) Pero . . . ¿por qué?

CARLOS.   Simplemente porque llegué a la conclusión de que curar enfermos no era mi vocación; que me había equivocado.

ALICIA.   Pero le faltaba tan poco.

CARLOS.   Aunque me hubiera faltado una materia habría hecho lo mismo. No podía seguir.

ALICIA.   ¿Entonces?

CARLOS.   Bueno, entonces me dije que tenía que hacer algo y me embarqué como electricista en un barco de carga. Conocía bastante la profesión y comencé a navegar.

ALICIA.   ¡Oh, qué maravilloso!

CARLOS.   (*Con una sonrisa.*) No, no fue tan maravilloso. Conseguí una plaza en un barco que hacía el viaje hasta Curazao[7] y volvía a Buenos Aires. Curazao, Buenos Aires . . . Buenos Aires, Curazao . . . Así durante cuatro años. Después del primer viaje ya no habia

---

[6] **así y todo**   just the same.
[7] **Curazao**   Curaçao. *The largest of the islands in the Dutch West Indies, located off the coast of Venezuela.*

más nada que ver. Bueno, finalmente abandoné también la navegación. Ni médico ni marino. (*Bebe un trago. Luego, con marcada indiferencia.*) ¿No toma más?

ALICIA.   (*Que permanecía pensativa.*) ¿Eh? No, no, gracias . . . (*Pequeña pausa.*) Lo que no entiendo es qué tiene que ver todo ⁵ esto con la libertad de vivir, como usted la llama.

CARLOS.   (*Hace una pausa. La mira.*) En estos momentos tengo dos caminos; emplearme en una de mis varias profesiones, casarme, tener hijos o . . . esperar.

ALICIA.   ¿Esperar?   10

CARLOS.   Sí, esperar. El primer camino es más sencillo. Sé hacer muchas cosas y no me resultaría difícil alcanzar una buena posición. Pero eso significaría darle un rumbo definitivo a mi vida, renunciar para siempre a algo que verdaderamente me guste . . . sería perder mi libertad a esperar. ¿Entiende? Viviendo así, en cambio, sé ¹⁵ que en cualquier momento puedo hacer lo que se me antoja . . . ¡Irme a la China si eso me hace feliz!

Enciende un cigarrillo y se recuesta contra el respaldo del sillón. Se hace una pausa prolongada. La música del club, una melodía lenta, vuelve a escucharse intensamente e invade toda la escena. Alicia permanece callada, con un visible dejo de amargura en el rostro. De pronto mira a Carlos y, al ver que éste la observa, retira rápidamente la vista. Carlos sirve los vasos con coñac. Alicia mecánicamente toma el vaso y bebe.

ALICIA.   Oh, creo que me estoy emborrachando . . .

CARLOS.   Mejor, así el coñac la pondrá alegre. (*Suena una sugerente melodía.*) Escuche qué hermosa canción. Usted tenía ganas de bailar ²⁰ esta noche . . . ¿Por qué no bailamos entonces? (*Se pone de pie y la toma de un brazo.*) ¡Venga!

ALICIA.   (*Resistiéndose.*) Oh, no, que[8] podría venir alguien . . . Daniel llegará de un momento a otro.

CARLOS.   ¡Vamos!   25

---

[8] **que**   *The* **que** *in this position, without a definite meaning in English, is common. It may sometimes be translated as* because, since, *or* why, *but rarely carries the precise sense of those words. Oftentimes it can be left untranslated.*

Alicia se deja llevar al centro del patio. Bailan un rato en silencio, sin mirarse. Alicia, separándose de pronto.

ALICIA.   Oh, Carlos, no está bien que bailemos aquí . . . es decir, solos. Dejemos, por favor. (*Carlos la retiene un instante.*)

CARLOS.   Está bien, como usted guste.

Carlos la suelta y Alicia, vacilante, se dirige hacia la sala.

ALICIA.   Creo que debo irme . . . No debí haber tomado tanto . . .

CARLOS.   (*Acercándose.*) Quédese . . .

ALICIA.   No . . . Es mejor que me vaya.

CARLOS.   (*La toma por los hombros.*) Por favor, quédese, Alicia.

ALICIA.   (*Asustada.*) No, déjeme . . . Déjeme, por favor . . . (*Confundida.*) No es cierto lo que usted dice . . . no es cierto . . . todo está bien . . . todo está bien . . . Oh, mi cabeza . . . Daniel debe estar por llegar . . .

Sale precipitadamente hacia el interior de la casa. Carlos queda un instante de pie, mirando hacia el lugar por donde salió Alicia. Luego, se vuelve y va a sentarse. Se sirve un poco de coñac y lo bebe íntegramente de un trago. Luego de un silencio, a lo lejos, comienza a escucharse un rumor que va acercándose de a poco. Instantes después, por la entrada de foro, aparecen Raúl y Daniel completamente borrachos. Daniel canta a viva voz[9] una canción acompañado por Raúl, que sólo repite algunas palabras, denotando no conocer la letra.

RAUL.

DANIEL.

"En bicicleta non vado piú
en bicicleta non vado piú
per che se e rota.
E chi la e rota la paguerá
E chi la e rota la paguerá
la bicicleta . . ."[10]

[9] **a viva voz**   at the top of his lungs.
[10] **"En . . . bicicleta."**   *An Italian ditty which runs in English roughly as follows:*
"My bicycle—alas!—I ride no more
My bicycle—alas!—I ride no more
Because it's smashed.
And whoever smashed it is going to pay
The guy who smashed it, he's going to pay
For my poor bicycle that's smashed."

Cuando terminan, ambos aplauden y ríen a carcajadas.

RAUL.   (*A viva voz.*) En bi ... ci ... cle ... taaaa ...

Ríe estruendosamente. Luego, al notar la presencia de Carlos.

¡Carlitos viejo! (*Lo abraza y lo besa.*) ¿Estabas aquí? Nos aban-
donaste, viejo ... Che, Daniel, mirá quién está aquí. Macanudo,
Carlitos, macanudo, vos también vas a venir con nosotros ... ¡Eh,
Daniel, Carlos viene con nosotros!   5

CARLOS.   Bajá la voz, Raúl, que[11] las mujeres están durmiendo.

RAUL.   (*Que descubre la botella de coñac.*) Ajá, atorrante, me
estabas chupando la botella de coñac ... Con razón te viniste para
acá.

CARLOS.   No grites, Raúl, podrías despertar a alguien.   10

Daniel, que se ha sentado y está casi atontado por la bebida.

DANIEL.   "En bicicleta non vado piú ... "

RAUL.   (*Sirve coñac en los vasos.*) Bueno, Danielito. Vamos a tomar
la del estribo[12] y después nos vamos para el centro con el auto.

DANIEL.   (*Canturreando.*) Al centro ... Al centro ...

RAUL.   Vamos con Carlitos, ¿eh? (*A Carlos.*) Vos venís también. 15
(*Con un grito triunfal.*) ¡Al cabaret!

CARLOS.   ¡Shissst! Raúl, callàte. (*Lo toma.*) A donde vas a ir es a la
cama. Vamos.

RAUL.   ¿A la cama? Si[13] todavía es temprano ... ¡Eh, Daniel! (*Se
sienta junto a Daniel y lo abraza.*) Mi amigo Danielito ... (*Transi-* 20
ción.) Daniel, tenemos que volver allá un día ... Vamos a volver,
¿eh? (*Daniel asiente con la cabeza.*) Vos también vas a venir,
Carlitos ...

CARLOS.   Está bien, Raúl, yo también voy a ir.

[11] **que**   *See note 8 in this scene.*
[12] **la del estribo**   the stirrup cup. *This is a drink traditionally taken by warriors before
mounting their horses to ride off into battle.   A more modern version would be
"one for the road."*
[13] **Si**   *See note 10 in Scene III.*

RAUL.   ¡Once botellas de vino! ¡Once! (*A Carlos.*) ¿Vos sabés lo que es eso? ¡Un récord! ¡Aquí está Daniel que no me deja mentir . . . ! ¡Daniel! ¡Danielito! . . . decíle la verdad, ¿eh?

CARLOS.   Está bien, Raúl, te creo; fueron once. Pero ahora vamos a dormir.

RAUL.   Antonia las contó . . . y yo estaba lo más fresco.[14] Uno de estos días tenemos que volver. Vas a ver, Carlitos, es en el Tigre . . . Al lado de la casa de Pedrito viven unas chicas macanudas . . . ¡Decíle, Daniel! Nos hicimos muy amigos, ¿eh? (*Se ríe. A Daniel.*) ¿Te acordás de la más gordita? Me invitó a dormir la siesta con ella . . . (*Vuelve a reír intencionalmente.*)

CARLOS.   Está bien, Raúl, vamos a dormir.

Los tres inician el mutis. Raúl, con insistencia de borracho, a Daniel.

RAUL.   Tenemos que volver a divertirnos como ese día. Vamos a volver, ¿eh viejo?

Mientras los tres se dirigen a la sala, las luces descienden lentamente.

TELON

[14] **lo más fresco**   fresh as a daisy.

𝒜cto 𝒮egundo
el domingo

ESCENA V
La mañana, después de las once

El mismo decorado a las once de la mañana del día siguiente, un domingo de sol y caluroso. En la sala, frente al espejo del aparador, Elvira se pasa una capa de crema por la cara, mientras canta una canción. Lleva los cabellos a medio peinar[1] y está vestida con un batón de sobrios colores.

ELVIRA. (*Cantando.*) "Gitana triste, no lo busqués por las tabernas, que[2] tu gitano, se arrojó una noche al Don[3] . . . "

Sigue tarareando hasta que aparece Beatriz por la puerta posterior.

¡Ay, cómo tengo el cutis,[4] Beatriz! (*La mira.*) Esta crema parece bastante buena . . . (*Pausa.*) ¿Hasta qué hora se quedaron anoche?

BEATRIZ. Nosotras nos acostamos temprano. Los hombres se fueron   5
al café y llegaron después de las dos de la mañana.

ELVIRA. No los oí para nada. Dormí profundamente.

Pausa. Elvira termina de pasarse la crema y comienza a peinarse.

Qué simpática es Alicia, ¿no es cierto? Me recuerda mucho a aquella vecina que teníamos en Belgrano, Paula, ¿te acordás? ¿Qué será de la vida de Paula? ¿Nunca la volviste a ver?   10

BEATRIZ. No.

ELVIRA. Al final se casó con Alberto Escobar, ¿sabías?

[1] **Lleva . . . .peinar**   Her hair is only partly combed.
[2] **que**   See note 7, Scene IV.
[3] **Don**   *The Don River, situated in Russia.*
[4] **cómo tengo el cutis**   this skin of mine.

51

BEATRIZ.   Vos me lo dijiste.

ELVIRA.   Después que yo lo rechacé se fijó en ella. Hace unos años estaban en Brasil. El no valía mucho, pero se llenó de plata[5] con el negocio que le dejó el padre. ¡Quién lo iba a decir![6]

Se hace una pausa mientras Elvira sigue peinándose. De pronto, con desconsuelo.

¡Ay, no sé qué hacer con este pelo!

BEATRIZ.   ¿Qué pasa?

ELVIRA.   (*Enfrentándola.*) ¿No ves cómo me queda[7]?

BEATRIZ.   A mí me gusta.

ELVIRA.   No, si[8] está horrible. ¿Por qué no me ayudás?

BEATRIZ.   Tengo que hacer la comida, Elvira.

ELVIRA.   ¡Oh, son cinco minutos nada más!

Le tiende el peine y se pone de espaldas a ella.

BEATRIZ.   ¡Está bien así; no sé qué querés!

ELVIRA.   ¿No ves que parezco la Greta Garbo? Quiero que quede más armado, como se usa ahora.[9]

Beatriz comienza a peinarla.

¿Te fijaste? Si en nuestra época se hubieran usado los peinados de ahora, a mí me habrían quedado muy bien. Tengo el rostro apropiado.

BEATRIZ.   Los de entonces también te quedaban bien. Y en aquella época eran la última moda.

ELVIRA.   ¡Ah! ¡Pero entonces eran peinados tan lindos!

Pausa. Con cierta melancolía.

---

[5] **se llenó de plata**   he made a fortune.
[6] **!Quién . . . decir!**   Who would have imagined it!
[7] **cómo me queda**   how it makes me look.
[8] **si**   *See note 10, Scene III.*
[9] **como se usa ahora**   the way they wear it now.

En casa siempre me pongo a mirar fotografías nuestras . . . Recorro el álbum y es como si repasara mi vida. (*Pausa.*) ¿Te acordás esa que nos sacamos las tres[10] cuando fuimos a Luján[11]?

BEATRIZ.   Tengo una copia.

ELVIRA.   Es mi preferida . . .   5

BEATRIZ.   ¿Está bien así?

ELVIRA.   A ver . . . (*Gira ante el espejo.*) Sí, está mejor. Gracias, querida. (*La besa.*) Voy a cambiarme para el almuerzo.

Sale hacia el interior precipitadamente. Beatriz comienza a sacar algunas cosas de la heladera hasta la entrada de Alicia.

ALICIA.   Hola, Beatriz.

BEATRIZ.   Buen día, dormilona.   10

ALICIA.   Debe ser bastante tarde ya . . .

BEATRIZ.   Las once y media. ¿Y aquellos duermen todavía? Hace un buen rato golpeé la puerta y me dijeron que en seguida se levantaban. (*Pausa.*) Anoche llegaron bastante alegres . . . ¿Los escuchaste?   15

ALICIA.   No. Dormía ya . . .

BEATRIZ.   Metieron bastante ruido. (*Pausa.*) ¿Dormiste bien?

ALICIA.   Sí.

BEATRIZ.   Tenés cara de cansada.[12]

ALICIA.   Estoy bien. (*Transición.*) Es una mañana hermosa. Las 20 mañanas de domingo son siempre alegres, ¿no es cierto?

A Beatriz, que ha terminado de sacar cosas de la heladera.

¿Querés que te ayude?

BEATRIZ.   Ahora, no. Cuando te precise te llamo.

Sale hacia el interior. Alicia queda sola. Un instante permanece inmóvil, mirando la mañana. Luego, va a recoger el diario que está sobre el

[10] **que . . . tres**   that we had taken of the three of us.
[11] **Luján**   *A cathedral city, some 40 miles west of Buenos Aires. A popular spot for tourists.*
[12] **Tenés cara de cansada**   You look tired.

*aparador. Se mira un instante en el espejo. Se pasa la mano por la
cara y luego sale al patio. Se sienta y hojea displicentemente el diario.
Luego de un instante aparece Raúl, en cuyo rostro se refleja la borrachera de la noche anterior. Abre la heladera. Saca una botella de agua
y se sirve un vaso, toma una pastilla y luego se acerca a ella.*

RAUL.   Buen día, Alicia.

ALICIA.   Buen día.

RAUL.   (*Sentándose pesadamente.*) ¡Ahhh . . . Dios mío! ¡Qué
manera de tomar anoche! ¡Este Daniel es increíble! ¡Nunca conocí
a nadie que tomara como él! (*Pausa.*) ¿Y los demás?

ALICIA.   No sé.

RAUL.   (*Con una carcajada.*) ¡No sabe lo que me ha hecho réir
anoche su marido!

ALICIA.   Me lo imagino . . .

RAUL.   Estuvo genial. Se puso a bromear con un tipo en el café
. . . Créame, la gente de las otras mesas se mataba de risa. Después, empezó a cantar esa canción en italiano . . . ¡Bueno! Todo
el café terminó cantándola.

*Desde el interior llega Daniel. Su rostro también revela los efectos de la
bebida, pero contrariamente a Raúl, tiene el rostro sombrío y un gesto
duro.*

DANIEL.   Buenas . . .

RAUL.   (*Alegremente.*) ¡Hola, Daniel! ¡Le estaba contando a Alicia
lo de anoche! ¿Te acordás?

Daniel hace apenas un gesto de asentimiento y se sienta frente a ellos.

Cuanda te pusiste a cantar . . . y cuando empezaste a cachar al
gordo ese. (*Lanza una carcajada recordando el episodio.*) Estu-
viste genial.

DANIEL.   (*Seco, a Alicia*) ¿Hablaste a casa?

ALICIA.   No, recién me levanté.

DANIEL.   Hay que avisarle a Flora a qué hora vamos a volver.

ALICIA.   Estaba esperando que viniera Sara para pedirle el teléfono.

RAUL. (*Con cierta preoccupación.*) ¿Pero, quién piensa en volver, Daniel?

DANIEL. No, viejo. La muchacha está sola con los chicos, convendría que supiera a qué hora vamos a volver a casa. No podemos dejar a los chicos tanto tiempo solos. No te olvidés de hablarle, ⁵ Alicia.

ALICIA. (*Aspera.*) ¡Cómo me voy a olvidar! Te dije que estoy esperando a que venga Sara.

DANIEL. (*Molesto.*) Bueno, está bien. Simplemente quería hacerte acordar de que llamaras. 10

ALICIA. (*Igual tono.*) Me lo dijiste tres veces en menos de cinco minutos. Como si yo no me acordara que tengo hijos.

DANIEL. No quise decir eso.

ALICIA. Pero lo insinuaste bastante bien.

DANIEL. No sé qué es lo que insinué. 15

ALICIA. Bueno, está bien. No discutamos más.

RAUL. (*Casi alarmado.*) ¿Pero, qué pasa, Daniel? Hoy es domingo, es temprano todavía. (*Con un gesto afectuoso*) ¡Vamos, Daniel; tiene que ser un día como el de ayer! Tenemos que planear bien la tarde de hoy para que no falle. En cuanto venga Fernando almor- 20 zamos bien. Y por la tarde podemos salir con el coche. Qué te parece si vamos al río, ¿eh?

Desde el interior llega Beatriz con una bandeja. Trae botellas de vermut y varios platitos con ingredientes.

Muy bien, Beatriz.

Beatriz coloca la bandeja sobre la mesa.

¿Un vermucito, Daniel?

Toma la botella y comienza a servir. A Beatriz.

¿Y Carlos y Elvira? 25

BEATRIZ. Elvira está vistiéndose. Carlos no sé, no lo vi para nada. Cuando me levanté ya había salido.

Sara entrando por foro.

SARA.   Buenos días a todos. (*Los demás responden.*)

RAUL.   Adelante, Sara. ¿Y Jorge?

SARA.   Recién llegó. Amargado porque perdieron el partido. No se le puede ni hablar.

RAUL.   ¿Perdieron? Cuánto lo siento . . . nosotros le habíamos prometido ir. Nos olvidamos, Daniel.

SARA.   Raúl, habló ese señor Fernando para usted.

RAUL.   ¿Fernando? Sí. ¿Qué dijo? ¿Viene para acá?

SARA.   Me pidió que le avisara a usted que no lo esperara a almorzar, que va a venir esta tarde a eso de las seis. No quiso que lo llamara ni a usted ni a Beatriz.

RAUL.   (*Con evidente desconsuelo.*) ¿No dijo más que eso? (*Sara niega con la cabeza.*) Es raro . . . Ayer dijo que vendría a almorzar. ¿No dejó dicho[13] dónde podría hablarle?

SARA.   Me repitió varias veces que usted lo esperara. Que a eso de las seis iba a estar aquí. (*A Beatriz.*) Se perdió una película hermosa anoche, Beatriz.

Beatriz hace un gesto. Elvira, que aparece por la puerta de la sala interrumpe la escena. Lleva el cabello suelto y se ha cubierto la cara con un sobrio pero evidente maquillaje. Todo eso ha producido un cambio en ella que se acentúa por la manera de caminar, de hablar y por ciertos gestos que por otra parte, no resultan ridículos en ningún momento. El espectador debe ver algo de la Elvira de hace quince o veinte años. La aparición crea un asombro general y se hace un silencio. Elvira lo nota y se queda parada un instante en el dintel de la puerta que da al patio. Desde allí habla.

ELVIRA.   Buenos días . . . ¿No me convidan con un vermut?

RAUL.   Caramba, Elvira. ¡Qué buena moza! (*Elvira se acerca.*)

BEATRIZ.   ¡Elvira! ¿Qué te hiciste?

ELVIRA.   ¿Qué? ¿Estoy muy mal?

---

[13] **No dejó dicho** Didn't he say.

BEATRIZ.   No . . . al contrario. Sólo que . . . te has arreglado como si fueras a una fiesta.

ELVIRA.   Sólo quise estar a tono con la reunión . . .

RAUL.   Pero si está muy bien.

SARA.   Es cierto; ese peinado le queda muy bien.   5

ELVIRA.   (*A Sara.*) ¿Usted cree que me sienta bien el peinado?

SARA.   Le queda regio. ¿No es cierto, Alicia?

ALICIA.   ¡Por supuesto! La hace mucho más joven.

ELVIRA.   (*A Beatriz.*) ¿Viste? Hace tiempo que no me peinaba así.

Raúl le extiende un vaso de vermut y ella lo toma Bebe un sorbo.

¡Ah, cada vez me lleva más tiempo taparme las arruguitas!   10
¡Pronto no será posible!

ALICIA.   No diga eso. Es usted joven todavía.

ELVIRA.   Mi juventud está un poco lejos, Alicia. No existe la crema que pueda disimularlo.

RAUL.   ¡Vamos, está exagerando!   15

ELVIRA.   ¡Oh! ¡Cuántos cumplidos![14] (*Ríe.*) Son todos ustedes muy buenos.

Tomando de la cintura a Beatriz, que ha quedado parada a su lado.

¡Ay, querida! Tenés que disculparme que hoy te haya dejado sola con todo.

BEATRIZ.   No tenés por qué preocuparte.[15]   20

ELVIRA.   ¡Oh, no, soy una egoísta! Pero, después de comer, vos te vas a dormir la siesta y yo me ocuparé de lavar los platos. (*Estrechándola contra sí.*) ¡Qué buena sos! (*A Raúl, que le sirve el vaso.*) No, no Raúl, no me sirva más. (*Bebe.*) Esto me recuerda tanto a aquellos domingos en Belgrano . . . ¿No es cierto, Beatriz? (*A los* 25 *demás.*) Todos los domingos papá se levantaba temprano y hacía las compras. Nosotras generalmente nos acostábamos tarde los

---

[14] **¡Cuántos cumplidos!**   So many compliments!

[15] **No . . . preocuparte**   Don't be silly.

sábados y él nos dejaba dormir. Siempre compraba lo mismo: cien gramos de jamón y aquel queso que le gustaba tanto. ¿Te acordás, Beatriz? ¿No es cierto? A eso de las doce él servía el vermut y se sentaba a charlar con las tres, Beatriz, yo y mi hermana la menor, Celia, la que está casada con el médico. Jamás dejó de hacerlo un domingo. Ese día nadie podía faltar en casa. (*A Raúl.*) Usted no llegó a conocerlo . . . No, no, claro está. (*De pronto lanza una carcajada.*) ¿Te acordás, Beatriz, el día que Celia se equivocó de botella[16] y le puso vino a la ensalada en lugar de vinagre? (*Vuelve a reír. Luego, a los demás.*) Al principio le sentíamos un gusto raro,[17] pero después empezó a agradarnos y terminamos comiéndola con ganas. ¿Te acordás, querida? (*Nueva carcajada.*) ¿Y cuando papá decía (*remedando*): "Hum, hum, no está mal . . . "

Vuelve a reír. La risa imperceptiblemente se transforma en una carcajada histérica que termina en un acceso de tos. El vaso de vermut se le derrama sobre el vestido.

BEATRIZ.   (*Alarmada.*) ¡Elvira! Te dio tos[18] . . .

ELVIRA.   No . . . no es nada . . . (*Nuevo acceso de tos.*)

SARA.   Golpéela en la espalda, Beatriz.

BEATRIZ.   ¿Estás bien?

ELVIRA.   Sí . . . sí . . . fue la tos.

RAUL.   Dale un poco de agua, Beatriz.

ELVIRA.   (*Calmándose.*) Me manché el vestido . . .

BEATRIZ.   Vení, que en seguida le pasamos un trapo húmedo.

ELVIRA.   (*Saliendo con Beatriz hacia el interior.*) Me atraganté . . . ¿Cómo pudo pasarme esto, Beatriz?

En el patio se hace un profundo silencio.

RAUL.   En fin . . . le dio tos. En seguida se repondrá. Se rio en el momento de tragar.

SARA.   A mí me pasa a veces . . . ¡ y qué feo es!

[16] **se equivocó de botella**   picked up the wrong bottle.
[17] **le . . . raro**   it tasted funny to us.
[18] **Te dio tos**   You choked.

RAUL.   ¿Otro vermut, Daniel?

Le sirve el vaso en el momento en que desde la calle llega Carlos.

RAUL.   ¡Carlitos! ¿Qué decís, viejo? ¿Dónde estabas?

CARLOS.   Salí a dar una vuelta. (*A los demás.*) ¿Qué tal?

RAUL.   Beatriz estaba pensando que a lo mejor no volvías.

CARLOS.   Sabés que nunca me voy sin haber comido antes.   5

RAUL.   (*Riéndose.*) Eso está bueno. (*Le sirve un vaso.*) Tomá un vermut, que pronto vamos a almorzar. Y después nos vamos todos al río. ¿No es cierto, Daniel?

DANIEL.   No sé, Raúl. Me parece mejor que nos vayamos temprano.

RAUL.   ¡Cómo[19] te vas a ir temprano! ¡A las seis viene Fernando,   10 Daniel! Tenemos que cenar juntos.

ALICIA.   (*De pronto, con inusitada vehemencia.*) Raúl tiene razón, Daniel. Tenemos que quedarnos. Y vamos a ir al río también. Es un día hermoso para ir al río. (*Estrechando a su marido sugestivamente.*) Quedémonos, querido.   15

DANIEL.   Decía por los chicos . . .

ALICIA.   Están con Flora; además, ¿cuántas veces se han quedado solos con ella? Hoy es domingo, no tenemos nada que hacer. En casa nos vamos a aburrir.

DANIEL.   (*Asombrado, más que agresivo.*) ¿Pero qué te pasa ahora,   20 Alicia?

RAUL.   Tenemos todo el día por delante. Y que nadie hable de irse. Ustedes comen con nosotros, ¿verdad, Sara?

SARA.   No, mejor nos quedamos en casa.

RAUL.   ¿Qué va a hacer en su casa? Vaya a decirle a Jorge que   25 venga.

SARA.   Es que . . .

[9] **Cómo** What do you mean.

RAUL. No diga nada . . . Ustedes comen con nosotros. Hoy es un domingo especial y tenemos que estar todos, como anoche.

ALICIA. Andá a llamarlo, Sara. Yo te acompaño, y de paso[20] hablo por teléfono. (*Salen; luego de un silencio.*)

RAUL. Así es, Danielito . . . (*Le da un golpe afectuoso en la rodilla.*) Lo estamos pasando bien, ¿eh? (*Daniel hace un gesto de asentimiento.*) Creo que tendríamos que hacer más seguido estas reuniones. A mí me gusta que los amigos vengan a casa, y a Beatriz también. (*Breve pausa.*) Lo que no entiendo es qué pudo haberle pasado a Fernando. Ese es otro tipo ideal para las farras. Con vos se va a entender en seguida. Lástima que no venga a almorzar.

DANIEL. Si viene esta tarde podremos charlar.

RAUL. También podríamos arreglar para salir una noche los tres, ¿eh?

DANIEL. Vos sabés que yo siempre estoy dispuesto.

RAUL. ¡Claro! La semana que viene saldremos a cenar. Podríamos ir a la Boca.[21] Hace siglos que no voy a comer a la Boca. (*Breve pausa.*) Ah, pero ya vas a conocer a Fernando. Es un tipo extraordinario, un vendedor nato. Y sabés cómo está entusiasmado por el negocio . . . Según él, en cinco años, podremos tener un cuerpo de vendedores que trabaje para nosotros. El dice así: el primer año, dejamos la compañía, el segundo nos compramos un coche, el tercero ponemos un local de ventas[22] y el quinto no trabajamos más. (*Ríe.*) Y te aseguro que es un tipo que sabe lo que dice.

Desde el interior llega Beatriz.

BEATRIZ. ¿Por qué no pasan adentro? Dentro de un rato voy a servir el almuerzo.

RAUL. ¿Y Elvira?

BEATRIZ. Se acostó.

RAUL. ¿No va a comer?

BEATRIZ. Dice que no.

---

[20] **de paso** while I'm there.
[21] **la Boca** *A picturesque waterfront section of Buenos Aires.*
[22] **un local de ventas** a sales office

RAUL.   ¿Por qué?

BEATRIZ.   Qué sé yo, Raúl. Vamos, pasen.

RAUL.   Tendríamos que esperar a Sara y a Jorge. Los invité a almorzar.

BEATRIZ.   Acomódense ustedes por ahora.   5

RAUL.   (*Levantándose:*)¿Vamos, Daniel?

DANIEL.   Vamos.

Raúl, Daniel y Carlos salen hacia el interior de la casa, Beatriz se retrasa en la sala y saca unos platos. Por foro[23] llega Alicia caminando pausadamente.

ALICIA.   Sara y Jorge no vienen. Jorge se había acostado a dormir y Sara decidió quedarse a comer con los suegros.

Beatriz, toma las cosas de la mesa e inicia el mutis:

BEATRIZ.   Bueno, vamos a comer.   10

ALICIA.   (*Con un suspiro:*) A comer . . .

Las luces decrecen sobre la escena vacía.

ESCENA VI

La siesta, a las cuatro de la tarde

Las cuatro de la tarde del domingo. El sol, aun fuerte, atraviesa la glorieta e inunda el patio. Raúl y Daniel están sentados junto a la mesita, sobre la que se hallan dos tacitas de café vacías, una botella de coñac y dos vasos.

RAUL.   (*Luego de un silencio:*) Ya no soy un chico, Daniel. Cuando se tiene 25 años uno camina todo el día como si nada fuera. (*Pausa:*) Las cosas ya no son como antes. Te confieso que me siento cansado. Hace 17 años que entré en la compañía y no tengo 15 más que esto: esta vieja casa alquilada y lo que hay dentro de ella. (*Pequeña pausa:*) Recuerdo que cuando me inicié en "Fénix", trabajaba en las oficinas. En esa época mi mayor aspiración era ser vendedor. Después de cinco años me nombraron. ¡Fueron épocas realmente felices! ¡Todo andaba tan bien, Daniel! Las ventas 20 caminaban y yo me sentía seguro. Era el señor Raúl Guzmán, ven-

[23] **Por foro** Downstage.

dedor de máquinas de escribir, de la compañía "Fénix". ¡Un título!
Me acuerdo que salía por las mañanas temprano, me sentaba a leer
el diario en el café y despues . . . ¡a vender! ¡Tenía sentido![1] !Cinco
veces tuve el récord mensual de ventas, trabajando en la zona más
floja de Buenos Aires! ¿Sabés lo que es eso? (*Pausa:*) Ya no es
como antes . . . La compañía se ha convertido en una rutina. Todo
está cambiado. Hoy sos un vendedor; nada más que eso, un vendedor. Hoy manda el cliente. (*Pausa:*) ¿Sabés, Daniel, cuánto saqué
el mes pasado?

Lo mira como si esperara que Daniel arriesgara una cifra:

Doce mil pesos incluyendo los viáticos. ¿Puedo vivir con doce
mil pesos? ¿Puede vivir un vendedor con doce mil pesos al mes,
Daniel? Y fue octubre, uno de los meses que se vende bien. Doce
mil pesos Daniel, y hace trece años que vendo para una de las com-
pañías más importantes de Buenos Aires. ¿Te parece justo? (*Pausa
prolongada:*) ¿Qué puedo esperar de la compañia, Daniel? ¿Que
me cambien de zona para ganar unos pesos más? El mejor
vendedor de "Fénix", no llega a los quince mil pesos mensuales.
Y hace treinta años que está en la calle. Yo no quiero terminar
como él.

Nueva pausa. Raúl bebe un trago de coñac:

Tengo 42 años, Daniel; yo no puedo esperar mucho más. Por lo
menos, quiero llegar a los cincuenta con algo en las manos. Llega
un momento en que uno tiene necesidad de crearse una posición, de
ser alguien. (*Pequeña pausa:*) Por eso el negocio es una salida para
mí, ¿te das cuenta?

DANIEL.   Lo entiendo, Raúl.

RAUL.   Te aseguro que desde que empezamos con Fernando, no veo
la hora[2] de dejar la compañía. ¡Es una rutina inaguantable!

DANIEL.   Está bien, Raúl, eso va a marchar solo.[3] Y después podrás
dejarla.

*Desde foro llega Alicia caminando lentamente, con aire aburrido. Se
acerca a ellos.*

---

[1] **!Tenía sentido!** It made sense!
[2] **no veo la hora** I can't wait for the time to come.
[3] **eso . . . solo** it's going to work out fine.

DANIEL.   ¿Qué hacés, querida?

ALICIA.   Nada . . .

DANIEL.   ¿No ves más televisión?

ALICIA.   La televisión me aburre. Estuve media hora parada en la puerta de calle, pero no pasó ni un alma. ¡Qué soledad!   5

RAUL.   Los domingos por la tarde son siempre así por acá.

BEATRIZ.   (*Entrando:*) Hola . . .

RAUL.   ¡Hola, Betty!

ALICIA.   ¿Ya te levantaste?

BEATRIZ.   Sí, me recosté un rato nada más. ¿No fueron al río?   10

DANIEL.   A mi mujer se le fueron las ganas.[4]

ALICIA.   Podrían haber ido ustedes solos. Además, habíamos quedado en ir todos.

RAUL.   ¿Por qué no vamos ahora los cuatro?

BEATRIZ.   Yo no pienso moverme.   15

ALICIA.   Yo tampoco tengo ganas, Raúl. Lo dejamos para otra vez.

RAUL.   ¿Vamos nosotros, Daniel?

DANIEL.   Estamos bien aquí.

RAUL.   ¡Vamos! Volvemos en seguida. De paso charlamos un rato. (*Se levanta:*) Vamos.   20

DANIEL.   (*Se incorpora pesadamente:*) Y bueno . . . (*Se despereza y bosteza:*) Lo que estoy necesitando es una buena cama.

RAUL.   Paseando te vas a despabilar.[5] Tenés que estar bien despierto para hablar con Fernando.

BEATRIZ.   ¿Por qué no le avisan a Carlos?   25

RAUL.   Dejálo descansar. Si viene Fernando decíle que me espere.

---

[4] **A . . . ganas**   My wife lost interest.
[5] **Paseando . . . despabilar**   Going for a ride will pep you up.

DANIEL.   Chau.[6]

Salen Raúl y Daniel.

BEATRIZ.   ¿No querés tomar nada?

ALICIA.   No. (*Pausa:*) ¿Y Elvira?

BEATRIZ.   Duerme. Le di una pastilla porque estaba muy nerviosa, y se ve que le hizo efecto.

Por foro entra Sara. Evidencia un estado de alteración.

SARA.   Buenas tardes ...

BEATRIZ.   Hola, Sara. (*Pausa. La mira:*) ¿Te pasa algo?

SARA.   Nada ...

BEATRIZ.   Tenés una cara[7] ...

SARA.   Volví a discutir con mi suegra.

BEATRIZ.   (*Reconviniéndola:*) Sara ...

SARA.   ¡Y bueno, Beatriz! Por qué se meten en mi vida. Otra vez empezó a decirme que no hago otra cosa que estar aquí mirando la televisión, que nunca estoy en casa. ¡Con lo divertidos que son ellos![8] No hacen otra cosa que reprocharme lo que hago y como vivo. Estoy harta ya.

BEATRIZ.   Tenés que ser más tolerante, Sara.

SARA.   Es que ya no aguanto más ... (*Dolorida:*) Encima[9] ... hoy me echó en cara que vivimos con ellos sin pagarles nada ... ¡Oh, cuándo podremos irnos de una buena vez!

BEATRIZ.   Bueno, Sara ... Pero no tenés que olvidarte que son tus suegros. (*Breve pausa:*) Vení, vamos a ver la película: está por empezar. ¿No venís, Alicia?

ALICIA.   Vayan ustedes. Yo voy dentro de un rato.

Beatriz y Sara salen hacia el interior. Álicia queda un instante inmóvil. Luego toma la revista y va a sentarse en una de las sillas del patio,

---

[6] **Chau**   Bye.
[7] **Tenés una cara**   From the look on your face.
[8] **!Con . . . ellos!**   As if *they* were so entertaining!
[9] **Encima**   On top of it all.

quedando de espaldas a la puerta de la sala. Por ella aparece Carlos, vestido de calle[10] y con un bolsón en la mano. Se queda un rato en la puerta de salida al patio mirándola indeciso. Alicia, no ha advertido su presencia.

CARLOS.   Adiós, Alicia . . .

Alicia, se vuelve nerviosamente, luego recobra la calma y trata de hablar con la mayor indiferencia:

ALICIA.   ¿Se va? Adiós . . .

Carlos se acerca y le tiende la mano. Ella se la estrecha rápidamente y vuelve a leer la revista:

Que le vaya bien.[11]

Se abre una breve pausa, Carlos queda parado junto a ella.

CARLOS.   Alicia . . . una palabra . . .

ALICIA.   (*Con marcada indiferencia:*) ¿Sí . . . ?   5

CARLOS.   Bueno . . . es referente a lo de anoche . . .

Alicia recibe el impacto, pero vuelve al tono anterior:

ALICIA.   ¿Lo de anoche? (*Ríe con la mayor naturalidad posible:*) Supongo que no lo habrá tomado a mal.[12] Estaba tan aburrida que de alguna manera tenía que divertirme un rato. Discúlpame.

CARLOS.   No es eso. (*Una pausa. La mira:*) Me voy porque he de- 10 cidido embarcarme. (*El rostro de ella se pone tenso:*) Quiero estar antes de la noche en el puerto. Tengo un amigo que es jefe de máquinas en un buque que sale dentro de unos días para Europa. Varias veces ofreció llevarme. (*Breve pausa:*) Tal vez esté a tiempo para que me incluya en la tripulación en el próximo viaje.   15

Alicia, haciendo un esfuerzo para seguir pareciendo natural:

ALICIA.   ¿Y qué tengo que ver yo con su viaje?

CARLOS.   La conversación de anoche con usted, me decidió.

ALICIA.   ¿La conversación conmigo lo decidió?

CARLOS.   No lo sé concretamente . . . Tal voz haberle contado mis propias cosas . . .   20

---

[10] **vestido de calle**   dressed to go out.
[11] **Que le vaya bien**   Goodbye.
[12] **Supongo . . . mal**   I assume you haven't taken it wrong.

ALICIA.   No entiendo. (*Pausa:*)

CARLOS.   (*Pausa.*) ¿Sabe Alicia? Cuando zarpábamos de noche me gustaba siempre colocarme en la borda y mirar cómo nos alejábamos cada vez más.[13] Las luces se hacían cada vez más chicas y Buenos Aires parecía de juguete. Siempre me decía que cuando volviese iba a hacer algo importante. Desde el barco Buenos Aires parecía tan chica y todo tan simple. ¡Pero esta ciudad lo ahoga a uno! (*Pausa.*) Hace tiempo tenía decidido volver a navegar, pero no me animaba. No podía equivocarme otra vez ¿comprende? (*Pausa.*) Anoche no pude dormir pensando. Esta mañana caminé todo el tiempo. Fui hasta el río . . . estaban los pescadores . . . me di cuenta que podía empezar otra vez, como a los veintidós años; cuando hice mi primer viaje. (*Otra pausa:*) Creo que he elegido, Alicia. ¿Me entiende?

ALICIA.   (*Con un ahogo:*) ¿Ha . . . que ha elegido?

CARLOS.   ¿Oyó hablar de Nápoles,[14] Alicia? ¿Del cielo de Nápoles? ¿De los mercachifles que le hacen el cuento[15] a los turistas? ¿De las terrazas de los cafés de Lisboa? ¿De las callejuelas de Génova?

Alicia, que en los últimos momentos lo ha escuchado crispada, se levanta histérica y grita:

ALICIA.   ¡Cállese, cállese por favor!

Se hace un silencio.

CARLOS.   Es un día hermoso, ¿no es cierto? Pocas veces el tiempo es tan lindo en Buenos Aires. (*Nueva pausa:*) Adiós, Alicia.

Luego de un instante de vacilación, Carlos sale rápidamente por la puerta de foro, Alicia ha quedado profundamente ensimismada. Luego de un prolongado silencio se oye la voz de Jorge llamando a Sara. Al segundo llamado Alicia vuelve en sí y sale precipitadamente hacia el interior por la puerta de los dormitorios. La escena queda vacía unos instantes. Nuevamente llega la voz de Jorge llamando a Sara y luego se lo ve aparecer por la puerta de foro. Se asoma hacia el interior y llama "Sara". Un momento después aparece Sara.

SARA.   ¿Qué hay?[16] ¿Qué querés?

---

[13] **cómo . . . más**   how, little by little, we drew away from shore.
[14] **Nápoles**   Naples.
[15] **le hacen el cuento**   cheat.
[16] **¿Qué hay?**   What's the matter?

JORGE.   Los viejos[17] van a salir a caminar un rato hasta la estación,[18] ¿No querés que vayamos con ellos?

SARA.   ¡Ah, no! Yo estoy viendo la televisión. Andá vos si querés.

JORGE.   Yo quería que estuviésemos juntos.

SARA.   Quedate a ver la película. Es bastante linda.   5

JORGE.   Sabés bien que a mí no me gustan las películas.

SARA.   ¿Por qué no vas al club?

JORGE.   Ya le dije por qué. Hoy perdimos y allá no hacen otra cosa que hablar de ese maldito partido.

SARA.   Y bueno, hacé como quieras. (*Hace un ademán para salir.*)   10

JORGE.   Sara.

SARA.   ¿Qué?

JORGE.   ¿Qué pasó hoy en casa? La vieja me estuvo diciendo . . . de vos . . .

SARA.   Ya sé. Que me paso el día viendo la televisión, y en casa no   15 hago nada. Ya me lo dijo a mí también.

JORGE.   Bueno . . . vos sabés cómo es ella . . . todos los días la misma historia. ¿Te creés que yo puedo estar contento viviendo asi? (*Pausa.*) Si saliéramos ahora todos juntos le haría bien.

SARA.   ¡Pero, Jorge! ¡Me aburro con ellos! (*Con absoluta con-*   20 *vicción:*) ¿Me querés decir qué vamos a hacer en la estación?

JORGE.   No se trata de una diversión, Sara. Se trata de que salgamos un rato con mis padres. Es por ellos; no te olvidés lo que[19] nos ayudan.

SARA.   (*Agresiva:*) Nadie les pide que nos ayudan.   25

[17] **Los viejos**   My parents.

[18] **caminar . . . estación**   *It is a common Sunday afternoon practice among lower middle class Argentine families, especially in the provinces, to take a stroll down to the train station—which becomes on that day a social gathering place.*

[19] **lo que**   how much.

JORGE.   ¡Sara!

SARA.   Y bueno . . . Primero te hacen un favor y después te lo echan en cara.

JORGE.   Nadie te echa en cara nada. Lo que mamá quiere es que estés más tiempo en casa. Eso es todo. (*Tomándola por la cintura:*) Vamos, Sara. Salgamos con ellos esta noche.

SARA.   (*Luego de una pausa:*) Está bien. En seguida voy.

JORGE.   No tardés. Mirá que ellos están casi listos.

Jorge, sale rápidamente por foro, Sara queda inmóvil un instante hasta la entrada por derecha de Beatriz.

BEATRIZ.   ¿Qué hacés, Sara? La película ya empezó.

SARA.   Me voy.

BEATRIZ.   ¿Te vas? ¿Adónde?

SARA.   (*Con voz temblorosa:*) A la estación . . .

BEATRIZ.   ¿A la estación? ¿ A qué?[20]

SARA.   (*A punto de llorar:*) A caminar . . . con mis suegros.

BEATRIZ.   ¿Va Jorge también?

SARA.   Sí. (*Las lágrimas le corren silenciosamente.*)

BEATRIZ.   ¿Qué pasa, Sara? ¿Por qué llorás?

SARA.   Nada . . . No es nada . . . Lo lamento por la película . . . es muy linda . . . Y tenía ganas de verla. (*Pausa:*) Bueno, me voy.

BEATRIZ.   ¿Volvés luego?

SARA.   No sé . . . Creo que no. Chau, Beatriz.

BEATRIZ.   Chau.

Sara inicia el mutis lentamente, con una sensación de cansancio. Antes de que salga vuelve a escucharse la voz de Jorge que la llama: "Sara".

SARA.   (*Con rabia:*) Voy.

Sale por el foro. Sobre la salida de Sara las luces comienzan a decrecer lentamente.

[20] **¿A qué?** Why?

ESCENA VII

El crepúsculo, después de las seis

*Al encenderse las luces, Beatriz está en la sala. Un instante después
aparecen por foro Daniel y Raúl.*

BEATRIZ. Llegaron . . .

RAUL. Fuimos por la costa hasta el Tigre. ¿No vino Fernando?

BEATRIZ. Todavía no.

RAUL. ¿Carlos se levantó?

BEATRIZ. Se levantó y se fue.⁵

RAUL. ¿Adónde se fue?

BEATRIZ. Según él, a ver ese amigo famoso del barco que siempre
está por salir para Europa.

RAUL. ¿Y eso por qué?

BEATRIZ. ¡Qué sé yo, Raúl! ¿No lo conocés a Carlos todavía? 10

RAUL. Pero . . . y nos deja así de repente. Podría haberse quedado a
cenar. ¿Por qué no le dijiste que me esperara?

BEATRIZ. Yo no lo vi. Cuando él se fue, yo no estaba. Habló con
Alicia.

RAUL. Dijo que pensaba quedarse hasta el miércoles o jueves. Qué 15
decisión es esa de irse así de golpe, sin siquiera despedirse.

DANIEL. Hace bien en irse. Que se embarque. Puede ganar la plata
que quiera con el contrabando. Yo he conocido tipos que no tenían
dónde caerse muertos,[1] y se han llenado de plata[2] trayendo cosas,
así, haciendo viajes al exterior. No bajan de[3] cien mil pesos por 20
viaje. ¿Qué me decís?[4]

RAUL. ¿Cien mil pesos?

[1] **no . . . muertos**   didn't have a penny to their name.
[2] **se . . . plata**   they've made a pile.
[3] **No bajan de**   They never make less than.
[4] **?Qué me decís?**   What do you think of that?

DANIEL.   Como lo oís. Es el negocio del día.

BEATRIZ.   ¿Ustedes van a tomar té?

RAUL.   No, cuando venga Fernando en todo caso tomamos una cerveza. (*Pausa.*)

DANIEL.   ¿Vamos a ver qué hay en la televisión?

RAUL.   Vamos.

Inician el mutis.

RAUL.   (*Se vuelve; a Daniel.*) ¿Cien mil pesos?

Ambos salen hacia el interior. Beatriz queda un momento sola hasta la aparición de Alicia que llega desde el interior con aire abstraído.[5] Las sombras del crepúsculo comienzan a asomarse.

ALICIA.   Está empezando a oscurecer. ¿Cómo se verán las luces de Buenos Aires[6] desde lejos?

BEATRIZ.   ¿Qué luces?

ALICIA.   (*Sonriendo:*) Nada . . . me estaba acordando de Carlos, que decía que cada vez que se alejaba de Buenos Aires de noche, las luces se hacían cada vez más chicas y la ciudad parecía de juguete. (*Pausa:*) ¡Debe ser hermoso irse de noche!

BEATRIZ.   Este Carlos está loco del todo. Así que te dijo que volvía a embarcarse . . . y por eso, tenía que irse esta misma tarde . . . No podía esperar . . . Ya veo que[7] se aparece por aquí dentro de quince días. Siempre está por irse y siempre se queda.

ALICIA.   Quizás esta vez se vaya.

BEATRIZ.   Quizás, pero dos por tres[8] está diciendo lo mismo; que se va a embarcar para Europa. Pero nunca se va. Cada vez que viene a casa está por irse de un momento a otro. Hace dos meses se despidió y todo de nosotros; me acuerdo que trajo una botella de champagne e hicimos un brindis. A las dos semanas[9] Raúl se lo

---

[5] **con aire abstraído**   in a thoughtful mood.
[6] **Cómo . . . Aires**   I wonder what the lights of Buenos Aires look like.
[7] **Ya veo que**   I'll bet you now that.
[8] **dos por tres**   always.
[9] **A las dos semanas**   Two weeks later.

encontró en el centro. No sé qué problema dijo que había tenido. (*Breve pausa:*) Mirá, yo no creo que se embarque nunca.

Beatriz, toma las tazas y los platos.

¿Vamos a tomar el té?

Sale hacia el interior. Alicia queda sola. Por un instante permanece inmóvil con la mirada perdida, luego se toma el rostro en un gesto de impotente desesperación, actitud en la que queda hasta la entrada precipitada de Daniel.

DANIEL.   ¿Qué hacés acá, Alicia? Raúl nos desafió a un partido de canasta. Beatriz y él contra nosotros dos. (*La toma del brazo.*)   5

Alicia lo mira fijamente y no contesta.

DANIEL.   (*Soltándola:*) ¿Qué te pasa? ¿No querés jugar a la canasta?

ALICIA.   (*Vacilante.*) ¿A la canasta?

DANIEL.   ¿No te dije? Raúl nos desafió . . . (*La mira:*) ¿No te sentís bien . . . ?

ALICIA.   Sí . . . sólo que . . . Sí. Vamos a jugar a la canasta.   10

DANIEL.   ¡A ver cómo te portás![10] Que nos jugamos una cena.[11]

Salen hacia el interior. Por la entrada de foro aparece Fernando, mira hacia ambos lados y al no ver a nadie golpea las manos. Aparece Beatriz.

FERNANDO.   Buenas tardes, Beatriz.

BEATRIZ.   ¡Hola, Fernando! ¿Cómo le va? (*Le tiende la mano.*)

FERNANDO.   ¿Está Raúl?

BEATRIZ.   Sí, está con unos amigos, pase.   15

FERNANDO.   No, mejor lo espero aquí, Beatriz. Dígale que quiero hablar con él.

BEATRIZ.   Bueno. Un momentito. (*Sale hacia el interior.*)

RAUL.   (*Alegremente:*) ¡Fernando, por fin! ¿Por qué no pasás?

FERNANDO.   En seguida, Raúl. Pero antes quisiera hablar unas [20] palabras con vos.

[10] **!A . . . portás!** Let's see how well you do!
[11] **Que . . . cena** We're playing for a dinner.

RAUL.   Te esperaba anoche, pero me fallaste. Estoy con unos amigos. Al menos te quedarás a cenar, ¿no es cierto?

FERNANDO.   No, Raúl; tengo que irme en seguida.

RAUL.   ¡Cómo te vas a ir! Tenés que quedarte para hablar con ese muchacho Daniel del que te hablé varias veces.

FERNANDO.   No puedo, Raúl, en serio. Lo dejamos para otro día.

RAUL.   (*Desilusionado:*) Bueno, pero por lo menos tomarás un vaso de cerveza, ¿eh?

Sin esperar la respuesta de Fernando se asoma hacia el interior:

Beatriz . . . servínos cerveza por favor. Sí, aquí.

Se vuelve hacia donde está Fernando con gesto de entusiasmo:

Bueno, ahora vamos a tomar unas cervecitas, ¿eh?

Breve pausa, recién ahora Raúl advierte la expresión seria de Fernando:

¿Pasa algo? (*Pausa.*)

FERNANDO.   El préstamo que teníamos pensado falló.

RAUL.   (*Con extrañeza:*) ¿Cómo falló?

FERNANDO.   Esta tarde me habló mi amigo por teléfono para decirme que no vaya mañana a verlo porque . . . porque, bueno . . .

RAUL.   ¿Pero, no te había prometido?

FERNANDO.   Me había dado seguridad, pero parece que ayer se arrepintió . . . no sé, no me dio explicaciones.

RAUL.   Comprendo . . . comprendo . . . (*Pausa:*) Ah, pienso que fuimos demasiado ingenuos cuando confiamos en ese dinero . . . Ahora perderemos la venta y, lo que es peor, el cliente . . . Nuestro único cliente. Mal comienzo . . . (*Pausa:*) Eran unos buenos pesos, ¿eh?

Aparece Beatriz: trayendo unos vasos de cerveza. Beatriz, luego de dejar los vasos sobre la mesa:

BEATRIZ.   ¿Quieren algo de comer?

RAUL.   No, dejá,[12] Beatriz. Luego vamos adentro.

---

[12] **dejá**   never mind.

Beatriz lanza una mirada significativa a ambos y luego sale. Raúl y Fernando beben en silencio.

RAUL.   (*Con el vaso en la mano:*) ¡Qué macana! Justo ahora tenía que pasarnos esto! (*Nueva pausa:*) Bueno, habrá que empezar otra vez de cero. ¿Qué le vamos a hacer?[13] (*Levantando la copa:*) ¡Por el próximo cliente!

Fernando bebe en silencio.

Mañana otra vez a la calle como debutantes . . . ¡Ah, en estas 5 condiciones nos va a dar mucho trabajo salir adelante[14]!

Transición. Con un golpe afectuoso:

Pero no hay que amargarse, Fernando. Tal vez con una buena excusa, Márquez no se nos vaya[15] del todo. ¡Claro! (*Con un gesto:*) ¿Sabés qué estoy pensando? Mañana temprano lo vemos a Márquez, ¿eh? (*Parodiando:*) Buenos días, señor Márquez, las máquinas van 10 a estar a fin de semana porque . . . bueno, porque hubo una demora en la entrega . . . cualquier cosa. ¿Por qué hacemos esto? De esta manera ganamos tiempo, y quizás, de aquí al viernes, podemos conseguir el dinero. En caso de que no salga, le pasamos el pedido a la compañía. No ganamos un peso, pero cumplimos con el 15 cliente. (*Con un gesto:*) ¿Qué te parece? Es una idea. Además . . .

FERNANDO.   (*Con firmeza:*) Escucháme, Raúl.

RAUL.   (*Se detiene:*) Sí. (*Pausa:*) Qué, ¿no te gusta la idea?

FERNANDO.   No, no es eso. (*Lo mira. Pausa:*) Raúl . . . quería decirte que yo . . . no sigo en la sociedad. 20

RAUL.   (*Con énfasis:*) ¿Que no seguís? Pero . . . ¿por qué? Perder una venta no es tan grave, recién nos iniciamos . . .

FERNANDO.   No es sólo eso. (*Pausa:*) Ayer por la mañana me mandó llamar Moreno[16] . . . la compañía me nombró jefe de vendedores.

RAUL.   Jefe de vendedores. ¿A vos? 25

[13] **¿Qué . . . hacer?** There's nothing we can do about it.
[14] **en . . . adelante** at this rate, it's going to be hard for us to get ahead.
[15] **no se nos vaya** won't get away from us.
[16] **me mandó llamar Moreno** Moreno had me called in.

FERNANDO.   Yo le dije que vos estabas antes, pero me dijeron que ahora no tenían en cuenta la antigüedad, sino los coeficientes de ventas.[17]

RAUL.   ¡Jefe de vendedores . . . ! (*Pausa:*) Bueno, te felicito. (*Pausa:*) El negocio no te interesa más. Claro está.

FERNANDO.   Yo no quise aceptar antes de hablar con vos; quedé en contestarles mañana. Vos sabés lo que eso significa. Un buen sueldo, comisiones y dejar la calle. Sabés mejor que yo que las cosas están muy duras, que cada vez se vende menos . . . La compañía es siempre una seguridad . . . bueno, además hablé con mi mujer . . . creo que voy a aceptar, Raúl.

RAUL.   Vas a aceptar, comprendo . . . ¡Jefe de vendedores! Es lo máximo que se puede aspirar dentro de "Fénix." (*Pausa:*) ¿Así que ahora les interesan los coeficientes de ventas?

FERNANDO.   Así me dijo Moreno. Pero la diferencia entre los dos[18] debe ser muy poca. Seguro que la próxima oportunidad es tuya.

RAUL.   No, yo ya no vendo como antes; bajé mucho[19] estos últimos tiempos. (*Pausa:*) Bueno, te felicito.

FERNANDO.   Supongo que no te resultará difícil encontrar quién me reemplace.[20] Villar tenía ganas de meterse con nosotros. ¿Te acordás?

RAUL.   ¿Villar? Vos sabés que es un incapaz. Y los demás son demasiado viejos o demasiado nuevos en la compañía como para iniciar nada. (*Breve pausa:*) ¡Oh! Creo que tenés razón, Fernando Ya conseguiré un buen socio, y si no, seguiré solo. (*Con un gesto:*) ¿Seguro que no te quedás a cenar?

FERNANDO.   (*Poniéndose de pie:*) No, Raúl. Me esperan en casa (*Inicia el mutis. Se detiene. Trata de ser natural:*) En casa quedaron algunas cosas. Te las llevaré a la compañía, así el miércoles cuando vas, podés retirarlas y de paso arreglamos cuentas. (*Con cierto*

---

[17] **coeficientes de ventas**   sales averages.
[18] **los dos**   the two of us.
[19] **bajé mucho**   I've fallen off a lot.
[20] **quién me reemplace**   someone to take my place.

vacilación:) Bueno, dale saludos[21] a Beatriz . . . Chau . . . (*Sale por la puerta de foro.*)

RAUL.   Chau.

Raúl, queda un instante de espaldas al público, prolongando el gesto de despedida. En el transcurso del diálogo con Fernando ha ido oscureciendo poco a poco[22] y ahora la escena está casi en penumbras y así se mantendrá hasta el final del acto. Raúl, se vuelve y camina vacilante hacia la mesita del patio. Está abatido. Desde el interior aparece Beatriz trayendo una bandeja con los vasos vacíos que deja sobre la mesa. Ve a Raúl y se asoma al patio.

BEATRIZ.   ¿Qué hacés ahí solo? Está oscureciendo . . . (*Enciende la luz del patio:*) ¿Se fue Fernando?   5

RAUL.   Sí, se fue.

BEATRIZ.   (*Comienza a guardar los vasos en el aparador:*) ¿Qué dijo?

RAUL.   (*Aspero:*) ¡Nada, Beatriz! (*La mira:*) Está todo bien.

BEATRIZ.   ¿Vas a volver a jugar? Te estábamos esperando.

Raúl, no contesta. Desde el interior llega un murmullo de voces y luego aparecen en el patio Alicia y Daniel vestidos de calle.

¿Qué pasa?   10

ALICIA.   Nos vamos, Beatriz. No me siento nada bien.

BEATRIZ.   ¿No se van a quedar a cenar?

ALICIA.   Disculpame, prefiero irme. (*Salen al patio y Alicia se acerca a Raúl:*) Adiós, Raúl.

RAUL.   ¿Se van?   15

DANIEL.   Alicia no está bien. Por mí[23] . . . ya sabés.

RAUL.   Pero . . . no se pueden ir ahora . . tienen que cenar con nosotros. (*A Daniel, con insistencia:*) Tenés que quedarte, Daniel . . . un rato más.

DANIEL.   Por mí me quedaría, pero Alicia quiere irse.   20

[21] **dale saludos**   give my regards.
[22] **ha . . . poco**   it has gradually grown dark.
[23] **Por mí**   If it were up to me.

RAUL. Necesitaría hablar con vos.

DANIEL. Hábláme por teléfono esta semana y nos reunimos, ¿eh? (*A Alicia:*) ¿Vamos?

RAUL. (*Tomándolo:*) Quisiera pedirte un consejo. Es por el negocio . . .

DANIEL. (*Con un golpe afectuoso:*) No te preocupés por eso. Va a marchar, yo te lo dije. La semana que viene hablamos. (*Acercándose a Beatriz y Alicia:*) Bueno, adiós Beatriz. (*Inicia el mutis:*) Chau, Raúl, no dejés de hablarme.

ALICIA. Hasta pronto, Beatriz. (*La besa:*) Y gracias por todo. Estuvo todo muy lindo.

BEATRIZ. (*Acompañándolos hasta la salida:*) Espero que vuelvan pronto.

Sale con ellos por la puerta de foro. Raúl, en el patio, permanece silencioso, indeciso. Hace un ademán de[24] *dirigirse a la sala, pero se detiene.*
Luego, se vuelve abatido hacia el centro del patio, se sienta en una de las sillas y se toma la cabeza entre las manos. Elvira, sale del interior vestida de calle y con un bolsón en la mano. Su rostro revela un estado de tensión pero hay en ella un imperceptible dejo de firmeza.

ELVIRA. ¡Beatriz, Beatriz! (*Sale al patio.*)

RAUL. ¿Ah, es usted . . . ?

ELVIRA. Es de noche[25] . . . ¿Dónde está Beatriz?

RAUL. Por ahí . . .

Elvira se vuelve y se enfrenta con Beatriz que llega desde el interior.

BEATRIZ. Ajá . . . te levantaste . . . Creí que pensabas dormir hasta mañana.

ELVIRA. (*Algo confundida:*) Dormí toda la tarde.

BEATRIZ. Pensé que no te sentías bien. Por eso no te desperté. (*La mira:*) ¿Por qué te vestiste?

---

[24] **Hace un ademán de** He moves as if to.
[25] **Es de noche** It's dark already.

ELVIRA.   Me voy, Beatriz. Es muy tarde.

BEATRIZ.   ¿No te ibas a quedar unos días con nosotros?

ELVIRA.   No, querida, es mejor que me vaya.

BEATRIZ.   (*Cariñosamente:*) ¿Por qué no te quedás? De veras, quisiera que te quedaras.   5

ELVIRA.   No, querida, gracias. (*Breve pausa:*) No puede ser.

BEATRIZ.   Yo quisiera ayudarte, Elvira.

ELVIRA.   Gracias, querida. Vos sos muy buena. Siempre fuiste la mejor de las tres. (*Breve pausa:*) Sí, es mejor que me vaya. (*Pausa. Elvira queda indecisa.*)   10

BEATRIZ.   En serio no te querés quedar . . .

ELVIRA.   (*Volviendo en sí:*) No, no . . . Beatriz. Me voy. Quizás más adelante[26] . . . (*Sale al patio.*) Llamáme alguna tarde. Ahora casi nunca salgo. (*Le hace una caricia:*) Llamáme, no te olvides. (*A Raúl:*) Adiós, Raúl.   15

RAUL.   (*Le tiende la mano:*) ¿Se va? Adiós . . .

Beatriz y Elvira salen por foro. Raúl, queda solo en el patio en una actitud de profunda consternación. Un momento después aparece Beatriz. Se dirige a la mesita, recoge los vasos que dejaron Raúl y Fernando y arregla las sillas mientras habla.

BEATRIZ.   Estuvo linda la reunión. Lástima que terminó tan de improviso.[27] ¡Pobre Daniel! Por él se hubiera quedado, pero Alicia estaba tan empeñada en irse. Es rara esta Alicia . . . (*Entra en la sala.*) Bueno, se acabó el fin de semana.   20

RAUL.   (*Con énfasis:*) ¿Eh?

BEATRIZ.   Nada . . . dije que se acabó el fin de semana . . .

RAUL.   Ah, sí . . . se acabó el fin de semana . . . (*Pausa:*) (*De pronto con violencia:*) ¡Pero cada vez hay menos luz en esta casa![28] ¿Te fijaste? Parece un cementerio. ¡Maldita compañía! Como si uno no   25

[26] **más adelante**   later on.
[27] **tan de improviso**   so unexpectedly.
[28] **¡Pero . . . casa!**   Every time you look around there's less light in this house.

les pagara el servicio. ¡Qué porquería de país!²⁹ (*Pausa. Casi trágico:*) Esta penumbra da una tristeza bárbara.³⁰

Beatriz, que ha estado observándolo, luego de una pausa. Habla con tono compasivo:

BEATRIZ.   ¿Qué pasa, Raúl? ¿A qué vino Fernando?

RAUL.   ¿Fernando? A charlar . . . sobre un asunto del negocio. Te dejó saludos.

BEATRIZ.   (*Acercándose:*) Raúl, algo no anda bien en el negocio. ¿Por qué no me contás?

RAUL.   (*Permanece un instante en silencio:*) No, Betty, todo está bien.

BEATRIZ.   (*Lo toma:*) ¿No puedo saber qué pasa?

RAUL.   (*Con aspereza, separándose:*) No pasa nada. (*Pausa:*) Estoy cansado, eso es todo. Fueron dos días agotadores . . . sí, es cansancio más que otra cosa.

BEATRIZ.   (*Con cierto embarazo:*) Escucháme Raúl, a mí no me importa mucho si el negocio no se hace. Eso quise decírtelo desde el mismo día que me dijiste que habías decidido independizarte. (*Pausa:*) Bueno . . . nosotros estamos bien así . . . No nos falta nada . . . Yo no preciso más de lo que tengo.

RAUL.   (*Con rabia:*) El negocio va a marchar, Betty. (*Pausa.*)

BEATRIZ.   ¿Vas a cenar?

RAUL.   No, no tengo ganas. Me quedaré un rato aquí.

BEATRIZ.   Bueno, estoy en la cocina. (*Inicia el mutis.*)

RAUL.   ¡Beatriz!

Beatriz se vuelve y mira a su marido que está de espaldas a ella. Beatriz, luego de un silencio, dice:

BEATRIZ.   ¿Qué, Raúl? (*Nueva pausa.*)

RAUL.   Betty . . . ¿qué opinás de Daniel?

BEATRIZ.   Ya sabés qué opino.

²⁹ **¡Qué porquería de país!**   What a stinking country!
³⁰ **Está . . . bárbara**   All these shadows are depressing.

RAUL. ¿Te dije que a él le gustó mucho la idea del negocio? Y Daniel no es ningún tonto . . . (*Sonriendo:*) Me dijo que le guardara el puesto de gerente . . . (*Pausa:*) Tendría que charlar a fondo[31] con Daniel.

BEATRIZ. Hablá con él.   5

RAUL. Sí . . . lo voy a hacer . . .

Raúl se vuelve y mira a su mujer. Esta sostiene la vista un instante y luego sin decir nada sale al interior. Raúl, la mira salir y comprende. Su rostro se ensombrece. Las luces se apagan rápidamente.

TELON FINAL

[31] **charlar a fondo**   talk it over seriously.

Vocabulary

The following types of words have been omitted from this vocabulary: (a) exact or easily recognizable cognates; (b) well-known proper and geographical names; (c) proper nouns and cultural, historical, and geographical items explained in footnotes; (d) individual verb forms (with few exceptions); (e) regular past participles of listed infinitives; (f) some uncommon idioms and constructions explained in footnotes; (g) diminutives ending in **-ito** and **-illo** and superlatives in **-ísimo** unless they have a special meaning; (h) days of the week and the months; (i) personal pronouns; (j) most interrogatives; (k) possessive and demonstrative adjectives and pronouns; (l) ordinal and cardinal numbers; (m) articles; (n) adverbs ending in **-mente** when the corresponding adjective is listed; and (o) some simple propositions.

The gender of nouns is not listed in the case of masculine nouns ending in **-o** and **-ón** and feminine nouns ending in **-a, -dad, -ez, -ión, -tad,** and **-tud.** A few irregular plurals, such as *veces,* are listed both as singular and plural. Most idioms and expressions are listed under their two most important words. Radical changes in verbs are indicated thus: (**ue**), (**ie, i**), etc. Prepositional usage is given in parentheses after verbs. A dash means repetition of the key word. Parentheses are also used for additional explanation or comment on the definition.

Many of the above criteria were not applied in an absolute fashion. While the student is strongly urged to make "educated guesses" at the meanings of words without looking them up, where it seemed likely that an average second-year student might not understand a particular term, it was included.

ABBREVIATIONS

adj.	adjective	*m.*	masculine
adv.	adverb	*n.*	noun
e.g.	for example	*p.p.*	past participle
expl.	expletive	*pl.*	plural
f.	feminine	*pret.*	preterite
interj.	interjection	*sing.*	singular
	subj.	subjunctive	

abandonar to quit; to leave
abatido dejected, crestfallen
abogacía law
abogado lawyer
abrazar to embrace, hug
abstraído lost in thought
abúlico lazy, unambitious person

aburrido boring; bored
aburrir to bore; ———se to get bored
acá here
acabar to end, finish
acaso perhaps
acceso fit; spell

aceituna olive
acentuar to accent
acercar to bring close; ———se to come close, approach
acogedor inviting, warm
acomodarse to get seated, settled
acordarse (ue) (de) to remember; to think about
acostarse (ue) to go to bed
acostumbrar to be in the habit of
actitud attitude
acuerdo agreement; de ——— in agreement; de ——— con according to
adelante forward; come in
ademán m. movement, gesture
además besides
adentro inside
advertir (ie) to warn; to perceive; to notice
afectuoso affectionate
afuera outside; outside town; ———s outskirts, suburbs
agotador exhausting
agradar to please
agradecer to thank; to be grateful
aguantar to endure; to stand
ahí there; ¡——— está! there, you see!
ahogar(se) to suffocate; to drown
ahogo shortness of breath
ahorro saving
ajá aha
alcanzar to reach; to be sufficient; to obtain
alegrar to make happy; to cheer up
alegre gay, spirited
alegría happiness
alguién someone
alma m. soul
almorzar (ue) to have lunch
almuerzo lunch
alquilar to rent
alrededor (de) around
alteración change
alto high; pieza alta room upstairs
amable pleasant
amargado bitter
amargarse to get bitter
amargura bitterness
ambos both
amistoso friendly; m.n. friendly game
andar to go; to walk; to be
angustiado distraught

animarse to get up the nerve
anoche last night
ante before; in the presence of; at
antigüedad priority
antojársele (a uno) to take a notion to
apagar to turn out; ———se to go out, die down
aparador cupboard
aparecer(se) to appear
aparición appearance
apellido (family) name
apenas scarcely
aplaudir to applaud
apostar (ue) to bet
aprobar (ue) to pass (subjects)
apropiado suitable, appropriate
aquel that; aquél that one; the former
armado fluffed-up, decked out
armario wardrobe
armarse to break out
arreglar to fix; to arrange; ——— cuentas to settle accounts; ———se to get along; to make do
arreglo repair; fixing-up
arrepentirse (ie) to repent; to reconsider
arriesgado risky
arriesgarse to risk
arrojarse to throw oneself
arruga wrinkle
asegurar to assure
asentir (ie) to assent; to nod agreement
así thus; like this (that); ———es ho-hum; and stuff; ah, yes; ——— que so
asomar to show; ———se to appear; to look out
asombro surprise
aspecto air, feeling
áspero adj. harsh; adv. harshly
aspiración aspiration, hope
aspirar to hope for
asunto matter
asustar to frighten
atado pack
atender (ie) to attend (to); to wait on; to take care of
atontado stupefied
atorrante m. or f. dirty rat
atragantarse to choke
atravesar (ie) to come through

atrevido   daring
aturdir   to rattle, stun
audaz   daring
aumentar   to increase
aunque   even though
auxilio   help
aventajado   outstanding
aventura   adventure
avisar   to warn; to let know; to advise
ayudar   to help

bailar   to dance
baile *m*.   dance
bajar   to lower
bandeja   tray
baño   bathroom
bárbaro   terrible; fabulous; **¡qué ———!**   how awful!
barco   ship; **——— de carga**   freighter
basta   (that's) enough
bastante   quite, rather; enough
batón   dressing gown
beber   to drink
bebida   drink(s)
belleza   beauty
beneficio   benefit
besar   to kiss
beso   kiss
biblioteca   library
bien   well; **muy ———**   all right
bizcocho   biscuit
blanco   white
bochador bocha   player who specializes in lofting the ball instead of rolling it
bohemio   Bohemian
bolsón   bag
borda   rail (of a ship)
borrachera   binge
borracho   drunk
bostezar   to yawn
botella   bottle
botiquín *m*.   medicine chest
boxeo   boxing
bravo   rugged; tough; great
brazo   arm
brindis *m*.   toast
broma   joke
bromear   to joke
bueno   good; all right; O.K.; well
buque *m*.   boat
buscar   to look for; to come by for

cabello   hair

cabeza   head
cachar   to tease, make fun of
cada   each; every
caer(se)   to fall
caja   box
calcular   to plan
cálido   warm
calmarse   to calm down
calor   heat; **hace ———**   it's hot
caluroso   warm
callado   silent
callarse   to shut up; to be quiet
callejuela   side street
cama   bed
cambiar   to change
cambio   change; **en ———**   on the other hand
caminar   to walk; to go along well; to work out
camino   road; path
campeón   champion
canción   song
cansado   tired, weary
cansancio   weariness
cantar   to sing
canturrear   to sing in a low voice
capa   layer
cara   face
caramba *interj*.   heavens! well, now! holy smoke!
carcajada   burst of laughter; **lanzar una ———**   to break out laughing
carga   burden; **barco de ———**   freighter
cargo   burden
caricia   caress
cartera   purse
casado   married; **de ———s**   of married life
casamiento   wedding
casar   to marry; **———se (con)**   to get married (to)
casi   almost
caso   case; opportunity; **en todo ———**   at any rate; **hacer ——— de**   to pay attention to; **poner por ———**   to take for example
catre *m*.   cot
celoso   jealous
cena   dinner
cenar   to have dinner
centro   downtown
cerca (de)   near
cero   zero

cerveza beer
cerrar (ie) to close
cielo sky
cierto *adj.* certain; *adv.* correct, true
cifra figure
cigarillo cigarette
cintura waist
cita date
claro clear; of course; ———— **que** naturally
clase *f.* kind; class
clavo nail
cliente *m. or f.* customer
cocina kitchen
coche *m.* car
colectivo bus
colocar to place; to set
comedor *m.* dining room
comenzar (ie) to begin
comer to eat; **dar de** ———— to feed
comienzo beginning
como how; as; ———— **si** as if
cómodo comfortable
compás beat
cómplice *m.* accomplice
compra purchase; **hacer las** ————s to go shopping
comprensión understanding
conciencia conscience
conciliador conciliating
concretamente for sure
conferencia lecture
confianza confidence
confiar (en) to count on; to trust
confundido confused
conocido famous, well known
conseguir (i) to get
consejo (piece of) advice
consigo with himself, herself, oneself
consternación consternation
contar (ue) to count; to tell; ————
  con to count on
contestar to answer
contra against
contrabando contraband, smuggled goods
contrariamente contrary
contrario contrary; **al** ———— on the contrary
convenir (ie) to be advisable
convertirse (ie) to change into
convidar to invite; ———— **con** to treat to

coñac cognac
copa glass
corto short
correr to run
coser to sew
costa cost
costura sewing
crear to create
creer to believe
crema cream
crepúsculo dusk; nightfall
crispado nervously twitching; tensed
cual which
cualquier(a) any; anyone
cuanto how much; **en** ———— **a** as for
cubierto (*p.p.* of **cubrir**) *m.n.* setting of silverware
cuenta account; **darse** ———— **de** to realize; **tener en** ———— to keep in mind
cuentagotas *m.* eyedropper
cuerpo staff
cuidarse to take care of oneself
cumpleaños *m.* birthday
cumplir to fulfill; to make good
curar to cure
curdo drunk (person), "lush"
cuyo whose

charla conversation
charlar to chat
charlatán *m.* chatterbox
chica girl
chico child
chileno Chilean
chino Chinese
chupar to suck; to "drag on"
churro good-looking person

dar to give; to be profitable; ————
  a to face; to lead to; ———— **con** to come across; ———— **de comer** to feed; ———— **la mano** to shake hands; ———— **una vuelta** to take a ride (or walk); ————**se cuenta de** to realize
deber must; ought to; should; to owe
decidir to decide; ————**se** to make up one's mind
decorado stage setting
decrecer to fade

dedicarse (a) to devote oneself (to); to work (at)

dejar to leave; to stop; to allow; —— **de** to stop; —— **de lado** to disregard; **no** —— **de** not to fail to; **deje** never mind

dejo trace

delante ahead; in front; before

demacrado terrible looking

demás rest, others

demasiado too; too much

demora delay

denotar to denote

dentro (de) within; —— **de lo posible** in as far as possible

deporte *m.* sport

deportista sportsman

derecha right

derechazo blow with the right fist

derecho right; law

derramarse to spill

derrumbarse to cave in; to come tumbling down

desafiar to challenge

desarrollar to develop; to ensue

desatado out of hand

descansar to rest

descanso rest

descender (ie) to come down

desconocido unknown (person)

desconsuelo disconsolation

descubrir to discover

desde since

desencajado distorted

desenvolverse (ue) to get along

despabilar to perk up

despedida farewell

despedirse (i) to say goodbye

despeinado uncombed

desperezarse to stretch

despertar (ie) to waken; ——se to wake up

despierto awake

desprenderse to emanate; to be given off

despreocupadamente in a carefree way

detener (ie) to stop, detain

detrás (de) behind

devolver (ue) to return

diario newspaper

diente *m.* tooth

dintel *m.* opening (of a doorway)

Dios God; ¡—— **mío!** my!; good heavens!

dirigir to direct, lead; to address; ——se to go

disculpar to excuse

discutir to discuss; to argue

disimular to hide, conceal

displicentemente fretfully

disponer to arrange; to settle

dispuesto willing

distinto different

distraer to distract; ——se to get one's mind off things

distraído distracted, absent-minded

diversión amusement

divertido *adv.* amused; *adj.* amusing, entertaining

divertirse (ie) to enjoy oneself

doble double

dolor *m.* pain

dominar to dominate; to master

dormido asleep

dormilón sleepyhead

dormir (ue) to sleep; ——se to fall asleep

dormitorio bedroom

dosis *f.* dosc

dueño owner; **dueña de casa** lady of the house

durante during

duro hard

echar to throw; —— **en la cara** to throw up to one; ——se **a** to begin to

edad age

efecto effect; **hacer** —— to have an effect

egoísta *m. or f.* selfish person

electricista electrician

elegir (i) to choose; to decide

embarazo awkwardness

embarazoso embarassing

embarcar to embark; to sign up (on a ship)

embargo: sin —— nevertheless

emborracharse to get drunk

empeñado determined

empezar (ie) to begin

emplear to use, employ; ——se to take a job

emprendedor enterprising

empresa business firm

encantado   a pleasure to see (or meet) you
encantador   charming
encender (ie)   to turn on
encoger: ——— **de hombros** to shrug
encontrar (ue)   to find; to meet
enfermedad   illness; disease
enfermo   sick person
enfrentarse (con)   to confront; to come face to face (with)
enigmático   puzzling, enigmatic
enojarse   to get mad
ensalada   salad
ensimismado   lost in thought
ensombrecer   to darken
entender (ie)   to understand; ———se to get along with
enterarse   to find out
enterrar (ie)   to bury
entonces   then
entrada   entrance
entre   between
entrega   delivery
envidiar   to envy
epa   whoops, oh-oh
época   time; period
equipo   team
equivocado   mistaken
equivocarse   to be mistaken
escalón   stair, step
escenario   stage set
escondidas: a ——— secretly
escotado   low cut
escuchar   to listen (to)
esfuerzo   effort
eso   that; **a** ——— **de** around; **por** ——— therefore; for that reason
espalda   back; **de** ———**s** facing away
especie *f.*   kind, sort
espectador   spectator
espejo   mirror
esperanza   hope
esperar   to hope; to expect; to wait
espíritu *m.*   spirit
esposa   wife
esposo   husband
estado   state
estante *m.*   shelf
estar   to be; ——— **por** (or **para**) to be about to
este   this; **éste**   this one; the latter
estómago   stomach

estrechar   to squeeze
estrenar   to premiere; to break in
estruendosamente   noisily
estupidez   stupidity; stupid thing
excitación   excitement
exigencia   demand
exigir   to demand
explicar   to explain
explotador   exploiter, "slave driver"
extender (ie)   to extend; to hold out
exterior   outside; **en el** ——— outside a country, abroad
extrañeza   strangeness; surprise; **con** ——— in an odd way
extraño *adj.*   strange; *m. or f. n.* stranger
extremo   side

falta   lack; **hacer** ——— to be needed
faltar   to lack, be lacking
fallar   to fail; to fall through
familiar   family-style
farolito   lantern
farra   spree; revelry
fastidio   annoyance
felicidad   happiness
felicitar   to congratulate
feliz   happy
feo   awful; ugly
festejar   to celebrate; to honor
fiesta   holiday; party
fijarse (en)   to notice; to take notice of
fijo   fixed
fin *m.*   end; ——— **de semana** weekend; **de** ———**es de** toward the end of; **en** ——— anyway; well; so
final   end; **al** ——— at last, at the end
firmeza   firmness
flojo   slack
frente *m.*   front; **de** ——— **a** facing
fresco   cool; chilled
fumar   to smoke

gana   desire; **con** ———**s** eagerly; **tener** ———**s**   to feel like
ganar   to earn; to win
genial   brilliant; great
gerente *m.*   manager
gesto   gesture; look, appearance
ginebra   gin
girar   to turn

giro spin, whirl
gitana gypsy girl
gitano gypsy
glorieta overhead trellis
golpe *m.* blow; shot; **de** —— suddenly
golpear to strike, hit; to knock
gordo fat; *m. or f. n.* fat person
gota drop
gracia: hacer —— to amuse
gracioso funny
gramo gram
grande big, large, great; **en** —— really
grave serious
gritar to shout
grosero crude
guante *m.* glove
guardar to reserve; to keep; to put away
gustar to please
gusto pleasure; **mucho** —— very pleased to meet you

haber there to be
habitación room
hace ago
hacer to do; to make; —— **calor** to be hot; —— **caso** to pay attention; —— **(las) compras** to go shopping; —— **efecto** to have an effect; —— **falta** to be needed; —— **gracia** to amuse; —— **mal** to harm; to upset; ——**se** to become; to occur; to ensue
hacia toward
hallar to find
harto full; fed up
hecho (p.p. of hacer); *m. n.* fact
heladera refrigerator
hermoso lovely, fine, handsome
hijo son; ——**s** children
historia story; history
hojear to thumb through
hombro shoulder
homenaje *m.* homage
hora hour; time
hubo (*3rd person pret. of* **haber**)
húmedo moist; wet

igual equal; same; **por** —— equally
imaginarse to imagine

impotente helpless
impreciso vague
impresionante impressive
inaguantable insufferable
incapaz *adj.* incapable; *m. or f. n.* incompetent person
increíble incredible
indeciso *adv.* undecided; *adj.* hesitantly
independizarse to go out on one's own
ingenuo naïve
ingredientes *m. pl.* hors d'oeuvres
ingresar to enter; to enroll
iniciar to begin, start
inmóvil motionless
insinuar to suggest; to insinuate
inspiración inhalation; breath
insulso *adj.* dull; *m. or f. n.* dull person
integramente completely
intencionalmente on purpose; suggestively
interesar to interest
interrogativamente questioningly
interrumpir to interrupt
intimidad privacy
inundar to flood
inusitado rare, unusual
inútil futile; useless
ir to go; ——**se** to go off, away; to leave

jamás never
jamón ham
jefe *m.* boss; —— **de máquinas** chief machinist
joven *adj.* young; *m. or f. n.* young person
jubilado retired person
juego game
juerga spree
jugador player
jugar to play
juguete *m.* toy
junto (a) next (to); beside; with; ——**s** together
justo fair
juventud youth

lado side; ——**s** parts; **al** —— next door; **a ningún** —— nowhere; **dejar de** —— to disregard

lágrima tear
lamentar to be sorry; to lament
lanzar to cast; ———— **una carcajada** to burst out laughing
largarse to sneak away
lástima pity, shame
lavar to wash
leal loyal
lejano distant, far
lejos distant, far; **a lo** ———— in the distance
lento slow
letra lyrics
levantado raised; up
levantar to raise; to lift; ————se to get up; to rise
limitar to limit; ———— **con** to end at
lindo pretty; fine
listo ready
liviano average; so-so
loco crazy
lograr to gain; to attain
luces (*pl of* **luz**) lights
luego then; after;———— **de** after
lugar *m.* place; town; **en** ———— **de** in place of
lujo luxury

llamado call
llegar to arrive; to reach; ———— **a ser** to get to be
llenar to fill
lleno full
llevar to bring; to carry
llorar to cry

macana stupid thing
madrugada early morning (between midnight and dawn)
mal *adj.* bad; poor; *adv.* poorly; wrong
maldito damned
manchar to soil
manera manner, way; **de todas** ————s anyway
mantener (ie) to maintain
maquillaje *m.* make-up
máquina machine; typewriter; ———— **de escribir** typewriter; **jefe de** ————s chief machinist
maravilloso wonderful
marcado marked

marcar to start
marchar to succeed
marido husband
marino sailor
matar to kill
mate *m.* a drink prepared with the leaves of the yerba mate, sometimes called Paraguayan tea
materia subject; class
máximo utmost
mayor greater; larger
mayoría majority; most
medianera dividing wall
médico doctor
medicucho small-time doctor, quack
medio *m. n.* half; *adj.* rather
mejor better; best; **a lo** ———— maybe
menos less; **por lo** ———— at least
mensual monthly
mentir (ie) to lie
mercachifle *m.* peddler
mes *m.* month
meter to place; to put; to make (noise); ————se to get in(to); to intrude
miedo fear; **tener** ———— to be afraid
mientras while
mil thousand
mirada glance; gaze; look
mirar to look
mismo same; **lo** ———— the same; just the same
moda fashion
modales *m. pl.* manners
modelo dress (illustration)
molestar to bother
molestia bother
molesto annoyed
moral *f.* morals
morir(se) (ue) to die
mostrar (ue) to show
motivo cause, reason
mozo lad; waiter; **buen** ———— good looking
mudar(se) to move
muerte *f.* death
muerto dead
mujer *f.* woman
mundial *adj.* world
municipalidad city (government)
murmullo murmur
mutis *m.* exit

nada nothing; **para** ———— at all
nato born
navegar to sail
navidad Christmas
necesidad need
negar (ie) to deny; ————se to refuse
negocio business (deal)
ni neither, nor; not even
nombrar to name; to speak of; to appoint
norte *m.* north
novedad news
nuevamente again

obra work; play
ocupar to occupy; ————se de to look after; to take charge of
ocurrencia: ¡qué ————! what an idea!
odiar to hate
ofender to offend
oficio profession; training
ofrecer to offer
ojalá I hope (so)
olvidar to forget
opinar to have an opinion
oponerse to oppose; to be against
oscurecer to grow dark

pagar to pay
país country
para for; in order to; ———— **nada** at all; **estar** ———— to be about to
parado standing
parecer to seem; to appear; ————se to resemble
pared *f.* wall
pareja couple
parodiar to imitate
parte *f.* part; behalf; **por otra** ———— on the other hand
partido game
pasado past; last
pasar to pass; to spend (time); to happen; **¿qué pasa?** what's wrong? what's going on?
pasatiempo pastime
pasear to walk (or ride) about
pasillo passageway; corridor
paso step; **de** ———— along the way; by the way
pasta stuff, "makings"
pastilla pill

pausar to pause
pavada silly little nothing; stupid thing
pedido order
pedir (i) to ask, request; to order; ———— **prestado** to borrow
pegada punch
peinado hair style
peinar(se) to comb
pelea fight
película film
pelo hair
pensar (ie) to think; to plan; to intend; ———— **en** to think about
pensativo thoughtful, pensive
pensión boardinghouse
penumbra half-shadow; dimness
peor worse; worst
pequeño small
perder (ie) to lose
perdón pardon; excuse me
pérgola arbor
permanecer to remain, stay
permiso excuse me
perspectiva prospect
pesado heavy
pescador *m.* fisherman
pibe *m or f.* kid
pie *m.* foot; **ponerse de** ———— to stand up
pieza play; room; ———— **alta** room upstairs
pintoresco picturesque, colorful
piso floor
placer *m.* pleasure
planear to plan
plata money
plaza position; spot
pluma feather
poco little; few; **de a** ———— little by little
poner to place; to put; to make; ———— **por caso** to take for example; ————se to become; to get; to put on; ————se de pie to stand up
por for; on account of; by; ———— **eso** for that reason; therefore; ———— **supuesto** of course; **estar** ———— to be about to
posición job
posterior back
precipitadamente hurriedly
precisar to need

preferido favorite
preguntar to ask
prenda article of clothing
preocupación concern
preocuparse to worry
prestado borrowed; **pedir** ——
to borrow
préstamo loan
prestar to lend
prever to foresee
probar (ue) to try
profundo deep
programa program; plan
prolongado long
prometer to promise
pronto soon; **de** —— suddenly
propaganda ad; advertising (commercial)
propio own
proponer to propose
proseguir (i) to continue
proyecto plan
publicar to publish
público audience
puesto (*p.p. of* **poner**) placed; resting; *m.n.* job; position

quedar to remain, stay; to suit, look;
—— **en** to agree (to, on);
——**se** to remain, stay
quejarse to complain
querer (ie) to want; to love
¿querés? (the **vos** form of **querer**)
would you; all right? if you don't
mind
querida darling; dear
queso cheese
quizá perhaps

rabia anger
racha a stretch of (good or bad) luck
ramo line (of business)
raro strange, odd
rato short while; time; **a** ——**s** at
times
razón *f.* reason; **tener** —— to be
right
realmente really
recién recently; just; just now; just
before
recobrar to recover
recoger to pick up

recompensar to compensate; to pay
back
reconocer to recognize
reconvenir (ie) to reproach
recordar (ue) to remember; to remind
recorrer to go through
recuerdo recollection; memory;
thought
rechazar to reject; to turn down
referente a about
referirse (ie) to refer
reflejarse to be reflected
refrescar to cool off
regalar to give
regio wonderful, great
reír(se) (i) to laugh
remedar to imitate
renunciar to renounce; —— **a** to
give up
reparto cast
repasar to review
repente: de —— suddenly
repetir (i) to repeat
reponerse to recover
reprochar to reproach
reproche *m.* reproach
respaldo back (of a chair)
respetar to respect
respuesta reply
resultar to be; to turn out; to seem
retener (ie) to hold; to retain
retirar to withdraw; to take away
retrasarse to delay; to stay behind
reunión party, get-together
revista magazine
rico rich; —— **chico** quite a boy
risa laugh; **entre** ——**s** laughing
ritmo rhythm
rodilla knee
ropa clothes
rostro face; features
ruido noise
rumbo direction
rumor noise

sacar to take out; to knock out; to
get; —— **una cita** to get a date
sala room; —— **de estar** living-
room
salida witty saying; joke; exit
salir to leave; to go (come) out; to
work out; —— **adelante** to get
ahead

seco *adj.* dry; *adv.* drily
sector *m.* area
seguida: en —— right away, immediately
seguido frequently, often
según according to; —— **dijo** so he said
seguridad security; certainty
seguro sure; safe; definite
sencillo simple
sentar (ie) to seat; ——se to sit down
sentir (ie) to feel; to regret; to be sorry (about); to suit; ——se to feel
señal *m.* trace; indication
señalar to indicate
separarse to move away
sequedad dryness; **con** —— drily
serio serious; **en** —— really
servir (i) to serve
siempre always; still
siesta afternoon nap(time)
siglo century
significar to mean
significativo meaningful
siguiente following
silbar to whistle
silla chair
simpático pleasant, likeable
sin without; —— **embargo** nevertheless
sino but
siquiera even; at least; **ni** —— not even
sirvienta maid, servant
sobre over; on
sobrio sober
sociedad partnership
socio partner; member
sol *m.* sun
soledad solitude
solo alone, lonely; single
soltar (ue) to let loose
soltero bachelor
sombra shadow
sonar (ue) to sound; to be heard
sonrisa smile
sonso stupid
soplo breeze
sorbo gulp; swallow
sorna cunning
sostener (ie) to hold

suceder to happen
suegra mother-in-law
suegros *m. pl.* mother- and father-in-law; in-laws
sueldo salary
suelto loose
sueño dream
suerte *f.* luck; **por** —— luckily
suficiencia self-satisfaction
sugerente suggestive
sugestivamente suggestively
suponer to suppose
supuesto: por —— of course
suspiro sigh

taberna tavern
tal such; —— **vez** perhaps
también also
tanto so much; so many; *m.n.* point
tapa cover
tapado coat
tapar to cover (up)
tararear to hum
tarde late; *n.f.* afternoon
taza cup
telón curtain
tema *m.* subject
tembloroso trembling
temporada season
temprano early
tender (ie) to hold out
tener (ie) to have; to be wrong (with someone or something) (e.g., ¿qué **tiene?** what's wrong with it?); —— **en cuenta** to keep in mind; —— **ganas de** to feel like; —— **miedo** to be afraid; —— **que** to have to; —— **razón** to be right; **aquí tienen** here you are
terminar to end
tiempo time; weather; **a** —— on time; **al** —— at the same time
tinto red wine
tipo guy; character
título title
tocar to touch
todavía still
todo all; **del** —— completely
tomar to take; to drink
tono tone; **a** —— **con** in tune with
tontería idiotic thing; nonsense
tonto fool

tos *f.* cough; coughing
trabajo job; work
traer to bring
tragar to swallow
transcurso course
transición change (of tone)
trapo cloth
tras after
tratamiento treatment
tratar to try; to treat; to deal with, be about; ———se de to be a matter of
través: a ——— **de** through
tripulación crew
triste sad
triunfal triumphant

ubicar to locate
uf *excl.* hah! wow!
últimamente lately
último last; latest
umbral *m.* threshold
unos: ——— **pocos** a few; ——— **cuantos** a bunch of
usar to use

vacilación hesitancy; hesitation
vacilante hesitatingly
vacío empty
vago vague
valer to be worth; ——— **la pena** to be worthwhile
valorizarse to increase in value
varios *adj. pl.* several
veces *pl. of* **vez**
vecino neighbor
vendedor salesman; **jefe de** ——— **es** sales manager
vender to sell
venta sale

ventaja advantage
ventajoso advantageous
ver to see; **a** ——— let's see; **tener que** ——— **(con)** to have to do (with)
verano summer
verdad truth
vermut *m.* vermouth
vestido dress
vestirse (i) to dress, get dressed
vez *f.* time; **de una buena** ——— once and for all; **en** ——— **de** instead of; **tal** ——— perhaps
viaje *m.* trip
viático travel expense
vicecampeón second-place team
vida life
vinagre *m.* vinegar
vino wine
vísperas: en ——— **de** on the eve of
vista glance; view
visto *p.p. of* **ver**
vocación vocation, calling
volando flying
volver (ue) to return; to become; ——— **a** again (e.g., **volvió a preguntar** he asked again); ——— **en sí** to come to; ———**se** to become; to turn back
voz *f.* voice; **a media** ——— in a low tone
vuelta turn; **dar una** ——— to go for a ride or a walk
vueltita "little spin"

ya already; now
yerno son-in-law

zalamero flattering
zarpar to set sail
zona zone; area